Para Silvia
Con mucho cariño
y mis mejores
deseos.

René Corado
6 aug 2016

EL LUSTRADOR

UNA HISTORIA DE INSPIRACIÓN, FÉ Y VALENTÍA

René Corado

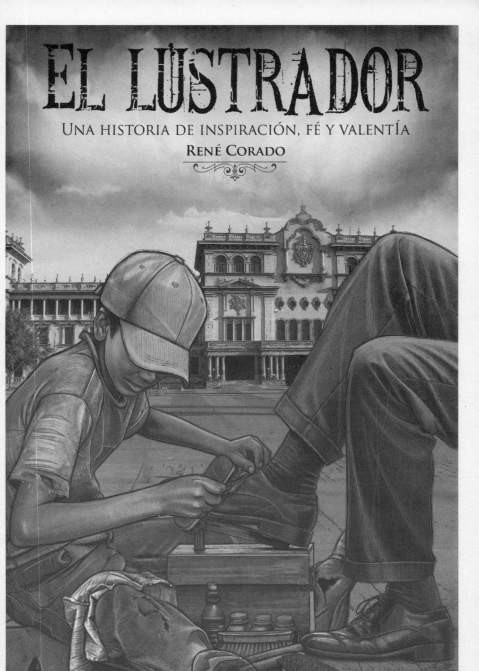

AUTOR © René Corado
elustrador@gmail.com

TÍTULO ©El lustrador. La conquista del norte

PUBLICACIÓN Colección Tres K-tunes,
Serie Opera Prima, Nº. 29
© Editorial Palo de Hormigo, SRL
Primera edición 2014
palodehormigo@hotmail.com
0 Calle 16-40 B zona 15, colonia
El Maestro, Guatemala

EDICIÓN Ricardo Ulysses Cifuentes V.
rucifuentes@gmail.com
Ulysses Cifuentes y CRUL

DISEÑO DE PORTADA Nelson Jordan Xuyá

REVISIÓN Ligia García & García y Odiseo

ISBN 978-0-9960875-0-6

IMPRESIÓN Talleres Centro Editorial VILE

Editorial Palo de Hormigo

* Se cambiaron algunos nombres para proteger la privacidad de estas personas.

ÍNDICE

INTRODUCCIÓN

El Lustrador, título para un libro que recoge diferentes facetas de la vida de alguien en plena lucha por su superación.

Escribo lo siguiente por tratarse de un paisano guatemalteco y amigo, que por su propio esfuerzo y con bastantes aventuras ha logrado colocarse en un lugar donde muchos desearíamos estar. René asegura que "con la derrota se conoce la victoria", aunque la victoria de la que él habla no es producto de una derrota, porque con su lucha ha logrado lo que se ha propuesto.

A René lo conocí cuando trabajé como reportero gráfico del Diario La Nación, él era el encargado de la limpieza del edificio y quien hacía los mandados a quienes laborábamos para dicho matutino. Era un jovencito activo y muy educado, yo siempre le sugerí que pusiera atención al manejo del fax, del teletipo y de otros medios de comunicación del diario, así como que procurara aprender a manejar la computadora, ya que la computación recién había llegado a Guatemala y proyectaba mucho futuro.

Hoy, gracias a su dedicación por superarse, ostenta el título de biólogo y ocupa el importante cargo de gerente de un museo en California, Estados Unidos de Norteamérica, tiene varias publicaciones, ha viajado por diferentes países del mundo y sigue siendo el hombre humilde que yo conocí.

Guatemala, agosto de 2013

PRÓLOGO

De alguna forma, espero que este libro sirva de estímulo y esperanza para que mis compatriotas migrantes mantengan el deseo de superación y lucha para seguir adelante sin importar haber nacido en la cuna más humilde -en mi caso, sin cuna-, que sepan que siempre hay esperanza y que si en verdad se lucha por lo que se quiere, es posible alcanzar cualquier sueño.

El hecho de haber nacido pobre no quiere decir que no se puede salir adelante y alcanzar las metas. En mi caso, fue una lucha dura, especialmente porque tuve que migrar dos veces, primero a la capital de Guatemala y luego a el gran país del norte, Estados Unidos de América. Esta es una historia real, de lágrimas, esperanzas y risas, escrita en mis propias palabras, realmente como sucedió. Es bastante difícil escribir un libro sobre tu vida porque no sabes qué parte de tu existencia es la más significativa para imprimir en papel.

Nunca en mi vida creí que iba a escribir un libro, tuve la ilusión de hacerlo cuando de jovencito encuadernaba y cortaba los libros para otros, siempre veía en ellos la alegría de ver su sueño realizado y ver cómo su libro, era su propio hijo, y yo me alegraba mucho porque era parte de ese sueño. Ahora veo mi propio sueño florecer y casi estoy seguro de que alguien en el departamento de producción y encuadernación va a tener el mismo sueño que yo alguna vez tuve y espero que se haga realidad para ellos también.

Dicen que soñar no cuesta nada, pero para realizar esos sueños hay que luchar, insistir y tener fe en nosotros mismos.

El que nunca ha conocido una derrota es porque nunca ha luchado y, desde ese rincón, donde según él o ella está seguro de la derrota, siempre va a ser un fracasado porque nunca supo que con la derrota se conocía la victoria. Yo no les llamo fracasos a los que tuve. Yo creo que la vida es una universidad muy grande en la que a veces no pasas los exámenes, pero sí estudias, nuevamente los puedes pasar con buenas calificaciones, cada día aprendes en el salón de clases, que es la vida misma. Nunca te des por vencido y pide ayuda, que la lucha de la mano de alguien más, es más liviana.

Actualmente resido en California, Estados Unidos, y para mis paisanos y hermanos latinos, que recién han llegado a este país, les digo que, yo soy el ejemplo de que con deseos de superación, trabajando duro y honradamente y, levantándose cada vez que se cae -que es lo que nos hace más fuertes-, podemos seguir adelante. Lo mismo va para mis compatriotas que migraron del pueblo a la gran ciudad: es posible salir adelante. El camino, como las rosas, tiene espinas. Al final, luego de esquivarlas, sentiremos su aroma.

Lea esta historia y después de analizarla pregúntese: "¿Por qué yo no lo puedo hacer? Este paisano que vino de una aldea humilde pasando sinsabores, tristezas y hasta derrotas; pudo".

Parte de este libro se publicó en inglés en un trabajo combinado con mi amiga y colega, la doctora Linnea Hall.

Toda mi vida estuve avergonzado de mí mismo por los tipos de trabajo que había realizado cuando fui niño, la gente se reía y abusaba de mí. Solamente mi familia inmediata sabía sobre esos pasajes de mi vida como lustrador, vendedor de periódicos y lavador de carros; al igual que sabían de las penurias que afrontaba para alimentarme, teniendo muchas veces que comer de los desperdicios de los basureros.

A Linnea -mi amiga- la conocí en agosto de 2002. Un mes después viajamos a Nueva Orleans a una reunión científica, nuestro avión fue el último que aterrizó en ese aeropuerto a causa de una fuerte tormenta tropical que estaba azotando Luisiana. Al principio me sentía un poco tímido y avergonzado de contarle a ella sobre mi vida como lustrador de zapatos, apenas tenía un mes de conocerla, pero ella, siendo una científica acostumbrada a investigar, empezó a hacerme preguntas y, según me contaba, no había conocido muchos guatemaltecos pero estaba muy interesada en nuestra cultura.

Yo creo que fue la forma amigable y el serio interés que ella mostró al hacerme las preguntas y también el hecho de que yo estaba asustadísimo por el huracán que sacudía el avión y, fue en ese momento que empecé a contarle sobre mi vida. Posteriormente me comentó que también estaba temerosa y por eso decidió tratar de ignorar el peligro enfrascándose en esa conversación.

Después de horas y horas de tristes y a veces chistosos recuentos de mis historias, me dijo que mi vida era una vida llena de aventuras y que muchas de las experiencias podrían ayudar e inspirar a otras personas, exhortándome a escribir este libro sobre mi vida.

Este libro no hubiera sido posible sin la ayuda de Linnea; su empuje, la insistencia y su amistad hicieron realidad este sueño. Aunque ella se mantiene muy ocupada en sus propias investigaciones, se tomó el tiempo para ayudarme a editar la versión en inglés y me incentivó a escribir esta publicación más completa en español, cuando me dijo: "Este libro puede ser un regalo muy grande para tus hijos, tus nietos y para tu gente en general. Esto se lo debes a ellos".

Thank you my friend!

AGRADECIMIENTOS

Principalmente quiero agradecer a mi esposa Mary y a nuestros hijos por su respaldo, especialmente a ella por su paciencia, apoyo incondicional y por creer que sí podía terminar este libro. Fueron muchas horas de desvelo, creo que en algún momento pensó que yo no estaba bien de la cabeza -porque me despertaba en horas de la madrugada a escribir-, sin embargo, siempre me alentó a seguir adelante sin reclamar por los desvelos, tal como lo ha hecho por más de 35 años que llevamos juntos. Ella ha sido testigo en carne propia de muchas de mis tristezas y siempre me ha incentivado a seguir adelante con la firme creencia de que yo puedo hacerlo. Nunca me ha perdido la fe y lo mismo les ha inculcado a nuestros hijos.

A pesar de que juntos hemos compartido hambre, lágrimas, tristezas y desconsuelos, también hemos compartido muchas risas y esperanzas al lado de nuestros hijos y nietos.

Gracias por confiar y creer en mí por toda una vida.

¡GRACIAS, FAMILIA!

*   *   *

Agradezco a las siguientes personas por su colaboración en el desarrollo de este libro: *Linnea Hall, Nelson Jordan Xuyá, Gustavo Jiménez, Arnoldo Taracena, Rolando Sanchinelli E., Freddy Pérez, Karen Meza, Alex Maldonado y Ricardo Ulysses Cifuentes* de la casa Editora Palo de Hormigo.

Gracias a todos por ayudarme a cumplir mi meta.

Capítulo 1

EL COMIENZO

Fue una noche de intensa lluvia como solo en el trópico suele suceder, con fuertes rayos que iluminaban los dos cuartitos de la humilde casa de adobe. Retumbaba por los fuertes truenos, parecía que el cielo estaba bombardeando la vivienda. En una cama construida de pitas y petate yacía Dominga lloriqueando por el dolor de parto. Aunque era el séptimo niño que daba a luz, ella sentía que este era diferente por el dolor intenso; ni la lluvia sofocaba el inmenso calor que a esa hora había en el cuartito y hacía el parto más difícil de soportar. Llevaba varias horas sufriendo los fuertes dolores, mientras Viviano, sentado a la orilla de la cama, la consolaba y le decía que pronto terminaría este calvario.

"Vamos Minga, vos podés, ya lo hiciste antes otras seis veces, no me fálles ahora".

"Ya no aguanto Viviano", decía ella, "el niño parece que es muy grande y no quiere salir".

Al mismo tiempo, Viviano le daba a beber algún té de hierbas que él mismo había encontrado en los alrededores del patio de la casa.

Viviano era la única persona en esta aldea que podía atender un parto, él lo había hecho con Dominga en sus seis anteriores embarazos y también fue el partero de las otras mujeres de la aldea. En esta localidad no había hospitales o doctores, la única oportunidad que tenía Minga de dar a luz y que vivieran ella y el niño estaba en las manos de Viviano.

Al fin, la fuerte lluvia con sus rayos y truenos le dio un descanso a la tierra, los gallos empezaron a cantar como diciendo: "Es tiempo de que esta mujer pare de sufrir y un nuevo ser humano empiece a vivir". El tiempo exacto del nacimiento nunca se sabrá, solo que el niño nació cuando empezaron los gallos a cantar. Viviano, emocionado, le dice a Dominga: "Ya viene saliendo, ya va a pasar el dolor y estarás bien".

Finalmente, el niño llora por primera vez como si estuviera diciendo: "Aquí estoy, mundo, empiezo llorando solamente para compartir con mi madre los sufrimientos de una larga noche de dolor, pero espero que el resto de mi vida y la de mi madre sea más agradable". Lejos estaba de saber aquel niño que la vida no sería tan fácil y había que luchar duro para sobrevivir. Así es como comienza la historia de la vida del autor de este libro.

"Este niño pesa como diez libras, porque está bien grande, te dije que iba a ser varón", dijo Viviano emocionado, el peso nunca se sabrá porque no había pesas en esa aldea. Dominga, finalmente deja de sufrir y besa por primera vez al niño y está de acuerdo con Viviano porque el niño es muy grande.

Viviano está alegre, no solo por el hecho de que Minga ya no esté sufriendo, sino que también porque el niño luce sano y fuerte y va a ser una gran ayuda para él en las labores del campo. En seis años el niño estará listo para ayudar a cuidar las vacas y sembrar tomate y maíz. Viviano casi estaba seguro de que el nuevo bebé iba a ser varón. Como buen católico hacía varios meses había escogido el nombre, José, como el padre de Jesucristo; la hija menor de Viviano tenía por nombre María y el de él era Viviano de Jesús, él ya estaba completo con la Santísima Trinidad. El error de Viviano fue contarles a todos en la aldea cómo iba a nombrar a su nuevo niño; unas semanas antes de que naciera, otro niño nació en la aldea y le pusieron de nombre José, Viviano se enojó mucho porque según él le robó el nombre y prometió encontrar un nombre único para su nuevo retoño.

Un día, en la envoltura de unos jabones, encontró un viejo periódico y vio el nombre único que él buscaba para su nuevo varón, el cual sería René, como alguien que estaba en el periódico y era de Francia, perfecto, este sería el nombre para este niño, porque es único en la vida. El niño fue creciendo entre arbustos con espinas, tunos, animales salvajes y de corral. El negrito, como lo llamaban por su piel oscura, fue creciendo semisalvaje, con una vida libre en medio de un mundo de cerros, pájaros, mariposas y los constantes viajes al río que tanto disfrutaba.

Cuando René todavía era pequeñito, Viviano se lo "presto" a la madre de Dominga, mamá Fina, porque la señora vivia sola pero cerca de la casa de René. Mamá Fina había enviudado muchos años atrás, cuando su esposo Segundo fue asesinado a machetazos en una pelea desigual contra tres hombres. Contaba mamá Fina que cuando su esposo peleaba contra los tres, uno de ellos le cortó el estómago, y parte de los intestinos se le salieron y los echó en un sombrero para seguir peleando, porque el señor era muy valiente, pero desafortunadamente no pudo contra tres enemigos. El niño creció pensando que la abuelita mamá Fina era su verdadera madre, porque la quería más que a su propia madre y ella lo adoraba y consentía mucho. Era con ella que René disfrutaba los viajes al río.

La casa donde nací. El Chical. 2003.

Con mi papá. Casi tenía 4 meses. 25 de diciembre, 1960.

Capítulo 2

LOS AÑOS EN EL CHICAL

Dejen que les cuente algo de la aldea donde nací. El Chical está ubicado en el municipio de Morazán, departamento de El Progreso, aproximadamente a 75 kilómetros al norte de la ciudad capital. Es el lugar más caliente de Centroamérica con temperaturas de 45 grados Celsius, cuenta con unos de los pocos bosques espinosos del mundo, casi no llueve y cuando lo hace son tormentas fenomenales. En mi tiempo no había carreteras ni autos, solo caminitos donde podían pasar mulas. En esta aldea también vivían, La Siguanaba, La Llorona, El Sombrerón, El Cadejo y El Duende; cuando oscurecía, todos los vecinos se mantenían en sus casas por miedo a encontrarse con estos personajes de otros mundos. Esta aldea era simple y muy pobre, como muchas aldeas en Guatemala, pero para mí este era un paraíso en donde disfrutaba de mucha libertad, actualmente las 13 casas de esa aldea no tienen plomería pero sí cuentan con electricidad. Cuando yo nací no había plomería, electricidad o agua potable, ni teléfono, ni autos, ni televisión, ni estufas. Tampoco policía, ni escuelas, solamente casas construidas por mi papá con adobes, que él mismo fabricaba en hornos que él también construyó.

En esta aldea él era el doctor, dentista, cura, barbero, arquitecto, ingeniero, carpintero y en general el hombre sabio de la aldea. Viviano no tenía una educación formal, pero sabía leer y escribir, era el único que podía hacerlo. En la comunidad casi todos los niños estábamos infectados de lombrices, pero mi papá sabía preparar una pócima para sacar los cientos de lombrices de nuestros estómagos; cuando íbamos a hacer nuestras necesidades al monte, era una batalla, las gallinas nos perseguían por doquier y a veces ¡nos picaban las nalgas para conseguir a las lombrices! A pesar de haber nacido en un mundo sin vacunas, sin higiene, zapatos o jugueterías, yo me desarrollé como una criatura feliz y despreocupada al lado de mamá Fina.

Ella me servía almuerzos a la orilla del río que fluía por el valle cerca de la aldea. Mientras ella lavaba la ropa, muchas veces con agua color café por el lodo que acarreaba después de las lluvias, yo jugaba en la arena o buscaba en la ribera soldaditos de plástico, indios, caballitos u otros juguetes que flotaban río abajo producto de los niños ricos de la ciudad.

Como todo niño normal y curioso, algunas veces también molestaba a los pichones de tolobojos en los nidos que construían en los paredones del río, estas aves anidan en cuevas que yo excavaba y sacaba los pichones. No satisfecho con molestar a los tolobojos, también colectaba nidos de chorchas.

La única foto que tengo de mama Fina enfrente de mi casa en Guatemala. Finales de 1968.

Parece que desde muy niño se empezó a desarrollar en mí la afición por la biología. Una vez con mi hermano Miguel atrapamos a un bebé de lagarto en el río y lo llevamos a mi casa, pero, por supuesto, se murió al alejarlo del afluente. Mi padre siempre me regañaba por molestar a todos estos animales, pero eso no me hacía desistir de la curiosidad y seguía haciéndolo.

Yo, generalmente, no me metía en problemas con mamá Fina, porque si le pedía algo y estaba en sus manos me lo proporcionaba inmediatamente, la viejita me adoraba y yo a ella. Pero siendo niño y curioso, un día que mi abuelita salió a cortar leña, jalé una silla y me subí a investigar una canasta con pan y otros bocadillos que ella tenía guardados en una llanta que mi papá le había colgado del techo para prevenir que ratas y otros animales le comieran sus alimentos. Pero, ¡oh Dios, qué desastre! ¡A mamá Fina se le olvidó el machete! Precisamente cuando yo recién introducía mi mano en el canasto, ella regresó.

"Estoy decepcionada de vos, René, sabés que si querés algo solo tenés que preguntarme y yo te lo doy".

¡El mundo se me derrumbó! Lloré incesantemente por varias horas, hasta que ella me abrazó y me perdonó. Nunca volví a hacer algo que decepcionara a mi abuelita.

La vida seguía su curso normal en El Chical, yo seguía creciendo libre y alegre. Miguel, mi hermano, a pesar de que era cinco años mayor que yo, siempre jugaba conmigo o hacíamos travesuras juntos.

Por ejemplo, recogíamos llantas de autos en el río, en ese tiempo yo no sabía que las llantas eran para autos porque no sabía que existían.

Miguel y yo usábamos las llantas para introducir en el medio a mi hermanita menor, Yolanda, para luego rodarla desde los cerros cubiertos de arbustos con espinas, ella constantemente nos metía a los dos en problemas con mi padre, y esta era una buena forma de venganza. Por suerte, nunca se quebró ningún hueso porque como era muy flaca, siempre se mantuvo dentro de las llantas cuando estas rodaban hacia los barrancos. Travesuras de niños, que pudieron costarle la vida a mi hermanita. Alfredo y Carlos, mis dos hermanos mayores, dejaron la aldea cuando cumplieron 18 años y migraron a la ciudad. En realidad, ellos nunca se interesaron en el menor de los hermanos, porque había muchos años de diferencia, y Alfredo siempre estaba muy ocupado criando gallos de pelea.

A Miguel le encantaba atormentarme constantemente. Por ejemplo, un día Miguel pretendió que se ahogaba en el rápido y lodoso río Motagua, cuando este estaba crecido por las fuertes lluvias que hacían del mismo un gigante que arrasaba con lo que encontraba a su paso, así fueran árboles o ganado.

"¡René, ayudame, me ahogo, el río me traga!", gritaba Miguel.

Yo no sabía nadar y, por lo tanto, frustrado, con mucho dolor y llanto solo miraba y le gritaba a Miguel.

"¡Por favor no me dejés, no te ahogués, salí del río por favor, no me quiero quedar solo!".

Todo el llanto y ruegos fueron en vano.

Yo me alejé corriendo y llorando después de ver que el río me robaba a mi hermanito, con quien había compartido tantas aventuras y travesuras, veía cómo Miguel luchaba porque el río no se lo llevara, pero su lucha fue en vano porque el río finalmente se lo tragó, lo último que vi fue su mano diciéndome adiós y ya no vi más a mi hermano querido. Corrí, corrí y corrí llorando con sus ropas abrazadas para enseñárselas a mis padres y que vieran que Miguel había muerto.

Miguel, quien por supuesto no estaba muerto, sino que era otra de las bromas que él constantemente me jugaba para atormentarme, tuvo que correr desnudo hacia la casa, con mucha vergüenza, porque tenía que cruzar una casa ¡donde vivían tres muchachas de su misma edad!

Hasta la fecha, me asusta mucho el río cuando está crecido y yo no soy muy amigo de nadar; también, siempre que recuerdo ese día lloro, porque no se me pueden borrar esos momentos de terror al ver que mi hermano se ahogaba y yo no podía ayudarlo por no saber nadar. Tuve suerte al no tratar de ayudarlo, porque si me hubiera tirado al río a ayudarlo, yo sí habría muerto. En una ocasión tuve que poner este temor a un lado al saltar al río para salvar a mi sobrinito Antonio cuando se estaba ahogando, mientras mi abuelita lavaba la ropa.

En una oportunidad, Miguel y yo visitábamos a mi hermana Adelina, que vivía en la aldea Piedras Gordas, como a cinco horas de camino, el cual teníamos que recorrer a pie y descalzos, estábamos listos para regresar a El Chical, cuando mi hermana Adelina nos dijo: "Patojos, llévenle estas dos sandías a papá y mamá y la otra se la comen ustedes en el camino".

Nos comimos la sandía que era para nosotros recién nos encaminamos de regreso, pero pronto Miguel tenía deseos de que nos comiéramos la otra, y me dijo: "Espero que no se te caiga la sandía, porque si se te cae y quiebra nos la tendremos que comer".

Por supuesto, la sandía "accidentalmente" se resbaló de mis manos y nos la tuvimos que comer. Miguel sabía que un primo de mamá, Víctor, tenía una plantación de sandías en el camino hacia El Chical, por donde teníamos que pasar muy cerca.

Decidió que nos podíamos comer la última y luego yo iría a la plantación de Víctor a cortar un par de sandías para nuestros padres. Miguel me dijo: "Mirá, andá hasta el centro del sandial y buscás las más grandes y te traés dos, nadie se va a enojar".

"¿En verdad nadie se va a enojar conmigo?", le pregunté.

"Claro que no, para nada", dijo Miguel, "Víctor es de la familia, es primo de mi mamá y además él quiere mucho a los niños chiquitos como vos".

"¿No hay chuchos ahí?", pregunté.

"No, Víctor no tiene perros, si por algún caso alguien te ve y te pregunta con quién andás, les decís que con tu primo Beto, el de Los Tablones y que él te mandó a traer dos sandías para mi mamá, Víctor quiere mucho a la gente de Los Tablones".

"Nunca vayas a mencionar que andás conmigo, yo te espero aquí afuera del alambrado", me recomendó Miguel.

Yo, muy inocente y con mis pies descalzos, a la edad de 6 años, camine a la plantación pensando que todo estaba bien, pero Víctor, quien estaba escondido (y por cierto, no quería a los niños chiquitos, lo contrario que dijo Miguel) me vio caminando hacia su plantación y cuando estaba cerca del centro donde estaban las sandías más grandes, como Miguel me había recomendado, soltó un gigante perro blanco diciéndole, "¡agárrelo!".

Yo vi al animal que venía hacia mí y comencé a correr de regreso hacia donde estaba Miguel, pero por el miedo, se me olvidó que él me había dicho que no mencionara su nombre, sino el de mi primo Beto y empecé a gritar, "¡Miguel, Miguel, Miguel me come el chucho!".

¡Cuando Miguel vio esto, comenzó a correr y me dejó a disposición de la embravecida bestia y yo solo tenía que ver cómo me defendía!

De alguna manera me las arreglé para correr más rápido que el gigante y embravecido perro, crucé el alambrado de púas y me abrí paso con la cabeza en los espinosos arbustos que servían para cubrir el alambrado.

Por las próximas dos horas me mantuve corriendo camino a casa en donde colapsé exhausto por la larga carrera, al llegar no les dije nada a mis padres.

Miguel arribó a la casa tiempo después y a escondidas vio si yo había regresado, pero no me vio porque yo estaba en la cama descansando. Asustado regresó a la plantación donde nos vimos por última vez, porque pensó que el enorme perro había atrapado a su hermano.

Cuando Miguel no me encontró en dicho lugar, regresó a la casa llorando y le dijo a mi papá que el perro de Víctor se había comido a su hermano. ¡Mi padre le dio a Miguel una paliza por lo que me hizo, que hasta este día estoy feliz por ello! Ese fue el día de la revancha por la broma del río.

Cuando no estaba jugando o siendo atormentado por Miguel, usualmente estaba haciendo algún trabajo para mi padre, esto desde los cinco hasta los ocho años.

Mi rutina diaria era llevar el ganado de la familia a que bebiera agua en el río, lo arriaba de arriba para abajo y viceversa, por lo menos siete kilómetros ida y vuelta.

Caminando descalzo, la mayoría de veces esquivando las espinas que estaban en todas partes del camino, siempre responsable y feliz.

Para poder llevar el ganado al río tenía que caminar descalzo entre tunos que eran más altos que una casa y arbustos con espinas del tamaño de mis dedos, a veces espinas de aproximadamente dos pulgadas se introducían en mis pies

Pero a pesar de todo esto, el canto de las aves siempre deleitaba mis oídos y ver algún armadillo o iguana, en verdad encantaba mi vista porque sabía que si lo atrapaba tendríamos carne para la cena.

Vivir en El Chical era una existencia muy hermosa porque pensaba que cada día de mi vida era una placentera copia del día anterior, con árboles frutales, insectos gigantes y de colores muy brillantes, lo mismo que aves de muchos colores, sonidos y, por supuesto, con mi abuelita querida. El niño que cuenta esta historia era muy feliz porque, aunque vivía en una pequeña casa de adobe de solamente dos cuartos, tenía el jardín más grande del mundo, porque estaba rodeado de todas la montañas de El Chical.

Siempre me gustaba ver la foto de Dios con su barba larga y blanca que mi abuelita colgaba en la pared, a esa edad, yo estaba seguro que así era exactamente como lucía Dios.

Mi padre me tenía completa confianza en el cuidado del ganado, sin pensar que posiblemente yo no estaba listo para esta responsabilidad a la edad de 6 o 7 años.

Un día estaba de malas y se me extravió una vaca, era un día muy caliente, como solo en El Chical suele ocurrir. Los vecinos de la aldea dicen que en esta época del año y a esta hora del día si levantás una piedra sale un diablito corriendo porque la temperatura es un infierno.

Después de varias horas de buscar a la vaca, con el sol que parecía llama de fuego y que quemaba el cuerpecito de este niño de 6 años, sin contar con agua para beber y con una sed exagerada, "¿qué pasa si me bebo mis orines?", pensé, "De otra manera me moriré de sed". Traté de beber de mis orines, pero solo ingerí una pequeña parte porque no soporté el sabor tan amargo.

Afortunadamente, unos minutos después pude aplacar mi sed por un tiempo, porque encontré agua que se había acumulado de la lluvia de la noche anterior en una torta de estiércol de vaca y eso fue lo que me salvó la vida.

Hasta la vida de un niño de 6 años era dura en El Chical, sobrevives como las iguanas y los armadillos o simplemente mueres, este lugar agreste no perdona.

Cuando vivía en El Chical, mis amigos eran dos perros salvajes que Miguel, Alfredo y yo habíamos extraído de una cueva cuando eran unos cachorritos recién nacidos.

Para lograr esto, Miguel y Alfredo me usaron como carnada para poder atrapar a la madre para que no los mordiera mientras sacaban a los cachorritos, porque la perra era salvaje y muy brava.

Mis dos hermanos mayores inteligentemente se colocaron arriba de la cueva con lazos, y entonces me dijeron:

"Vos sos el mejor para colocarte a la entrada de la cueva y provocás a la chucha para que te siga, agarrá este palo y la empezás a molestar hasta que salga de la cueva, vos sos rápido para correr, no tengás pena que cuando la chucha salga de la cueva nosotros la lazamos del pescuezo".

Cuando la perra salió de la cueva persiguiéndome y tratando de morderme, Alfredo bajó el lazo y la atrapó. ¡En todo esto la perra se acercó tanto a mí que podía sentir su respiración en mis nalgas, algo que nunca olvidaré!.

En 1968, cuando tenía 8 años, repentinamente me arrancaron de mi rural, idílico y rústico estilo de vida, cuando mis padres me llevaron junto con mis dos hermanos a vivir a la capital de Guatemala. Viviano y Dominga estaban preocupados porque pensaban que si sus hijos crecían en esa aldea, algún día serían asesinados o asesinarían a alguien.

Yo ya había presenciado un asesinato en esa aldea, cuando tenía 6 años. Yo vi cómo una discusión entre dos hombres jóvenes se tornó en muerte, solamente por culpa de un perro que le dio un pequeño mordisco a una vaca.

Cuando uno de los hombres, mi tío, dio la espalda para amarrar la vaca y aclarar la situación, el otro le disparó en la cabeza para estar seguro de ganarle, porque mi tío tenía fama de ser buen peleador. Yo vi cómo los ojos de mi tío se le salieron de las órbitas por los balazos. Corrí y corrí, gritando muy asustado por la quebrada rumbo a mi casa y cuando traté de saltar el alambrado de púas de mi casa, mi largo suéter se me trabó (yo usaba solo un suéter, no tenía camisa, pantalón o calzoncillo), ahí me mantuve colgado hasta que llegó Miguel y me bajó riéndose a carcajadas por verme colgado. Esta era la realidad de El Chical, sereno la mayoría del tiempo para los niños, pero duro, desesperado y peligroso para los adultos.

Viviano y Dominga podían ver cómo sería el futuro de peligroso para sus hijos si permanecían en El Chical. Por todo esto se vieron forzados a mover la familia a la ciudad en una semana. No les preguntaron a sus hijos si estaban de acuerdo o no, tampoco les dieron tiempo de despedirse de la familia o amigos, porque la idea era salir de la aldea sin decirle a nadie.

Aldea El Chical

Capítulo 3

La Ciudad de Guatemala

El día que dejé El Chical, en 1968, vi por primera vez un autobús, el primer vehículo motorizado que presenciaba en mis ocho años de vida, mis únicos vehículos de transporte fueron mulas, caballos y mis propios pies. Cuando vi venir la camioneta en la carretera dirigiéndose hacia mí, me horroricé, pensé que era un animal gigante muy embravecido que quería hacerme daño. Me eché a correr de regreso a El Chical, pero mi hermano Alfredo que había venido de la capital para recogerme, me detuvo y aunque pataleando y gritando, me logró meter en el bus. Cuando el transporte comenzó a moverse de nuevo, empecé a preguntarme ¿por qué todos los árboles corrían tan rápido de regreso cerca de las ventanillas?

Cuando llegamos a la ciudad de Guatemala yo iba cargando un machete, el cual nunca quise dejarlo y no entraría al autobús si no me lo dejaban llevar conmigo. Cuando bajamos, Alfredo dejó que cargara el machete, algunos de sus amigos quisieron jugarme una broma pretendiendo quitármelo, pero nunca esperaron que yo iba a defender el machete con mi vida y estuve a punto de crear una tragedia, empecé a seguir al hombre que me lo quería robar, hasta que Alfredo me gritó: "¡No lo lastimés, es mi amigo!".

¡Nadie te roba tu machete favorito que tu padre te regaló! Cuando llegamos a la casa, Alfredo presionó la pared y ocurrió un milagro…

¡Él hizo la luz! Yo nunca había visto luz eléctrica y me volví loco tratando de hacerlo como mi hermano lo hizo, presionando varias partes de la pared.

¡No encontré la forma de hacer luz esa noche, pero pensé que posiblemente iba a aprender después cómo hacerlo, pues después de todo yo era nuevo en la ciudad y tenía que aprender muchas cosas nuevas!

En la ciudad vivía mi primo Cheyo, quien había migrado unos años atrás de El Chical y era dos años mayor que yo e hijo del tío que yo vi morir a balazos. Este primo ya se había adaptado a la ciudad y de alguna manera era un poco embarazoso para él presentarme como su primo porque yo hablaba raro, muy diferente a como hablaban él y sus amigos, además yo no usaba zapatos y actuaba de manera extraña, comparado con los otros niños de la ciudad. Cheyo se dio cuenta de que podía divertirse bastante a expensas mías, porque yo no sabía las bromas de los chicos de la ciudad. Don Jorge Urla era el único que tenía televisión en muchas cuadras a la redonda y vivía frente a la casa de Cheyo. Él cobraba un centavo a cada niño por ver televisión durante un par de horas, y Cheyo pensó que era una buena inversión pagarme la entrada, porque sus amigos y él se iban a divertir mucho a mis expensas.

"¿Querés ir a ver televisión, René, yo te pago la entrada?, dijo Cheyo.

"¿Qué es eso Cheyo?", le respondí.

"Es una máquina donde mirás indios peleando contra vaqueros de verdad y no como los que encontrábamos en el río".

"¿Cómo es eso?"

"Vení, yo te explico cuando estemos ahí".

Yo seguí a Cheyo sin imaginar que iba a tener una experiencia única en mi vida.

Cuando entramos a casa de don Jorge, los otros niños estaban viendo precisamente una película de vaqueros e indios. Cheyo me advirtió que tuviera cuidado porque una bala de los vaqueros o una flecha de los indios podría ser fatal para mí, porque eran reales. Ese fue uno de los peores momentos que viví recién llegado a la capital y, en vez de ver la película, me dediqué a esquivar balas o flechas hasta que decidí salir corriendo del lugar para salvar mi vida, mientras Cheyo se divertía a expensas de su primo raro, que parecía sacado de las mismas películas que él había disfrutado por muchos años en la casa de don Jorge.

La impresión del cambio del idílico pastoral El Chical a la jungla de cemento de la ciudad de Guatemala fue catastrófico para mí. Increíble que en pleno 1960 yo haya recién salido de las cavernas. La ciudad iba a ser devastadora para mí. Aparte de la impresión inicial para un niño que nunca pensó que había otro mundo aparte de El Chical, también hubo un tremendo choque de culturas.

¡Por ejemplo, yo nunca antes había visto mujeres con maquillaje, faldas cortas, pantalones y cabello corto, como el de los hombres!

Otra cosa, cuando yo decía "hola" a la gente en las calles, nadie contestaba, cada persona iba preocupada por su día y no le iban a poner atención a un niño descalzo.

Como si el dolor y la confusión no fueran suficientes, yo tuve que dejar a mis queridos amigos y a mis mascotas -los perros- en El Chical y también extrañaba terriblemente a mi adorada mamá Fina que era lo que más quería en el mundo. Ella me prometió que nunca me iba a dejar y ahora repentinamente se había marchado de El Chical para Los Tablones, una aldea de elevación más alta, con montañas de pino-encino.

Yo, sintiéndome abandonado por mi abuelita y perdido en la ciudad de Guatemala, dejé de comer y, en un par de semanas, caí muy enfermo.

Durante los próximos meses perdí tanto peso que mi piel empezó a despegarse del cuerpo, lo mismo que les pasa a las culebras cuando cambian de piel. (*Nota: mi amiga Linnea y yo hemos investigado y encontramos que esta es una enfermedad necrótica de la piel y la gente regularmente termina muriéndose*). Preocupados por mí, mis padres contactaron a mi abuelita y le pidieron que viajara a la ciudad, si no yo me moriría. Para poder contactarla, tuvieron que pedirle favor a la radio local de la ciudad (Radio Mundial, con Chalo Hernández), que pasara al aire el anuncio porque no había forma de comunicarse por teléfono, telegrama o carta para esa aldea.

Alguien escuchó la noticia y le avisó a mamá Fina y ella eventualmente viajó a la capital.

Yo recuerdo que no podía parar de llorar cuando vi a mi adorada mamá Fina.

"Mamá Fina usted me hizo mucha falta, si usted no está conmigo mejor me muero", le dije.

"Por favor comé mijito que yo voy a estar aquí con vos y no te voy a dejar solo".

"¿De verdad?"

"Si mijito".

Mamá Fina se quedó en la ciudad a mi lado solamente seis meses, mientras mi salud mejoraba, y luego se marchó de nuevo a Los Tablones.

Desafortunadamente el regreso de mamá Fina a Los Tablones fue nuevamente muy doloroso para mí y nuevamente me enfermé, y como antes, tuvieron que llamar de regreso a mamá Fina dos veces más para que yo sobreviviera. Cuando se marchó de nuevo a Los Tablones por tercera vez, yo volví a recaer, pero esta vez logré recuperarme sin necesidad de la presencia de ella, aunque seguía extrañándola como loco, pero empecé a adaptarme poco a poco a la vida de la ciudad. Fue la primera vez en la vida que experimenté pérdida y abandono, y casi me costó la vida.

Enfrentar la vida en la gran ciudad fue difícil, en ese lugar había autos con humo negro, prostitutas, vendedores de drogas, políticos corruptos, policía y niños que aterrorizaban a otros niños.

Mi familia era gente de campo, y no poseíamos ropa del tipo que se usaba en la ciudad, ni teníamos dinero para comprarla. Los niños se reían de mí por mis pantalones cortos y llenos de agujeros y porque no usaba zapatos. Recuerdo que los otros niños eran muy crueles y me decían que yo era muy feo y me llamaban el negro por mi piel oscura. Yo me sentía avergonzado y herido, un extraño completo en un mundo en el que yo no encajaba con estos niños. Un mundo cruel tan diferente a mi querido paraíso El Chical, en donde podía acostarme debajo de la sombra de un árbol y escuchar el canto de las aves y observar las mariposas sin ser interrumpido por el ruido de una motocicleta o el golpe de algún niño marrullero.

Al principio los niños me golpeaban porque yo no estaba acostumbrado a pelear y por el hecho de que ellos me atacaban en grupo. Empecé a defenderme cuando mi hermana María vio que los niños del barrio me estaban golpeando en grupo. Como ella era mayor que todos nosotros, los agarró y les dijo que tenían que pelear conmigo uno por uno y no en grupo. Con estas reglas y María viendo que la pelea fuera pareja, yo pude ganarles a dos de los niños abusadores, mientras los otros dos no quisieron pelear y corrieron del lugar.

Como resultado de esta pelea y otras donde salí airoso, no hubo más problemas con los niños de este barrio y me gané el respeto a puño limpio, y también el apodo de "Kumali", en honor a un campeón africano de lucha libre.

Una cosa que yo no entendía cuando recién llegué a la ciudad era por qué vendían la fruta y los pollos, mientras que en El Chical la fruta era gratis y los pollos no se vendían sino se intercambiaban por miel o queso. El dinero era enteramente un nuevo concepto para mí, pero cuando lo conocí tuvo un efecto grande en el resto de mi vida. Mi familia era extremadamente pobre, apenas tenía suficiente dinero para comer, frijoles y tortillas que era el menú diario. Lo bueno era que mi papá había llevado frijol y maíz de El Chical para alimentarnos mientras él encontraba empleo. Mi papá encontró un trabajo en el departamento de agua, Empagua, pero su salario no era suficiente para proveer comida, casa y ropa para toda la familia. Viendo toda esta necesidad, yo tuve que trabajar para ayudar en la casa. Aunque mis padres no estaban de acuerdo al principio en que trabajara porque era muy niño, la necesidad desesperante del dinero los hizo cambiar de opinión. A la avanzada edad de 8 años, empecé la vida como uno de los principales proveedores de la familia. Yo asistía a la escuela pública Rubén Darío por la mañana y después trabajaba en cualquier empleo que fuera necesario, pero el principal era lustrar calzado. Recuerdo que una vez un mago visitó la escuela y convirtió varios pedazos de periódico en billetes de 20 quetzales, yo me alegré mucho de ver eso porque pensé que había descubierto la forma de hacer dinero para ayudar a mi familia. ¡Quería que la clase terminara pronto y poder volar rumbo a mi casa para poder hacer dinero pronto! Mi decepción, frustración y tristeza fueron muy grandes porque al tratar de hacer dinero en mi casa, mis pedazos de periódico no se convirtieron en billetes. Otra de las fantasías de la ciudad, donde nada era fácil.

El trabajo más consistente fue el de lustrador de zapatos, cargaba una caja de lustre que mi padre me había regalado, yo recorría las calles todas las tardes de 1 de la tarde a 8 de la noche los días de escuela y de 8 a 6 los fines de semana.

Cuando yo comencé a lustrar zapatos no conocía la ciudad, Cheyo mi primo se ofreció a llevarme a buenos lugares para lustrar. Yo no sospechaba que Cheyo me iba a jugar trucos como lo había hecho antes. El primer día de ejercer mi profesión de lustrador, yo hice más dinero, y creo que fue por ser más alto que Cheyo a pesar de que él era mayor que yo, los clientes posiblemente creían que tenía más experiencia, pero en realidad casi no sabía nada del negocio de lustrar. Cheyo, enojado, me exigía que le diera parte del dinero que había ganado porque fue él quien me enseñó los lugares dónde lustrar y si no lo hacía me iba a dejar perdido en la ciudad.

Yo, por supuesto, le dije que no, porque a pesar de mi edad, tenía principios y no le iba a dar el fruto de mi trabajo a alguien que no se lo había ganado. Cheyo me dejó perdido pensando que no iba a encontrar el camino de regreso a casa, pero me había dado cuenta qué número de bus habíamos abordado al principio y preguntando logré regresar. Cheyo se quedó sorprendido cuando me vio llegando a casa sano, salvo y con todo mi dinero.

Cuando todavía estaba tratando de establecer y defender mi territorio de lustrador, tuve que pelear con otros niños abusadores como el "Pelón", que era el que robaba los materiales de lustre de otros niños menores que él. Un día -cuando yo tenía aproximadamente 10 años-, me cansé de los abusos del "Pelón" hacia mí y hacia los otros niños y, aunque era mayor y más grande que yo y el hecho de que estaba asustadísimo porque era muy grande y gordo, ¡aún así, lo enfrenté y lo logré vencer! No sé si fue mi miedo o el enojo por los abusos que me hicieron enfrentar a este enorme niño pelón.

Un oficial de policía vio la pelea, nos agarró a los dos y nos dijo que habíamos quebrantado la ley y nos iba a encarcelar. Nos llevó a los dos a una estación de policía que estaba cerca de donde fue la pelea y cuando estuvo en la estación frente a otros policías, dijo:

"Bueno patojos, pelear en la calle está prohibido y ustedes son unos grandes criminales de alto riesgo, así es que ustedes van derechito a la cárcel".

Le preguntó a los otros policías:

"Cuántos años de cárcel ustedes creen que merecen estos patojos peleoneros".

Unos dijeron veinte, otros diez, unos incluso dijeron cadena perpetua con trabajos forzados.

Yo temblaba de miedo y más por lo que mi papá me iba a decir, al mismo tiempo estaba aterrorizado por el hecho de que era posible que nunca fuera a ver a mis padres nuevamente, y no podía llevar más dinero a la casa si me ponían veinte años de cárcel, o peor, si me daban cadena perpetua. Al final uno dijo:

"Hay otra alternativa, no los metemos a la cárcel si deciden pelear enfrente de nosotros con guantes de box".

Inmediatamente yo dije que peleaba en vez de ir a la cárcel, esa era la mejor noticia del mundo, no tuve miedo para nada de pelear, eso era mejor que pasar el resto de mi vida encarcelado, y nunca ver de nuevo a mi familia, pero el "Pelón" no quiso pelear.

Por supuesto que los policías nomás nos estaban asustando para que no volviéramos a pelear en la calle.

Los policías castigaron al "Pelón" por su cobardía y por haberse dejado pegar por un niño más pequeño que él. Su castigo fue lavar los baños de la estación y yo solo le llevaba el agua. Después de este incidente, el "Pelón" nunca volvió a robar o molestar a los niños mientras yo estuviera presente.

Yo nunca le conté a mis padres de este problema o cualquier otro que haya sucedido mientras trabajaba en esas calles de Guatemala, solamente le daba a mi mamá el dinero y la comida que obtenía durante el día y los protegía para que no supieran qué tan duro me iba defendiéndome en esas calles, porque si ellos hubieran sabido de todos los abusos que tenía que sufrir, tal vez no hubieran sabido qué hacer. Recuerdo un día que estaba en la gasolinera Valle, sobre la séptima avenida de la zona 2, yo estaba simplemente usando un poquito de agua para preparar un frasco de tinta para seguir trabajando, pero en ese momento salió el dueño de la gasolinera y me pateó la caja de lustre y quebró los frascos, me dijo que no quería volverme a ver en ese lugar robándole su agua. Sí, había de todo en estas calles, gente buena y mala.

La esquina principal donde yo lustraba era una de las áreas más peligrosas de la ciudad, no apta para niños de mi edad. Era un pequeño parque en donde vendedores de drogas y prostitutas se reunían, donde viejos sin dientes lustraban, y que lo habían hecho por largos 30 años.

Yo aprendí a ser muy trabajador desde pequeño porque mi papá decía que era la única forma en que iba a salir de pobre, y el trabajo enorgullecía al hombre, yo lustraba zapatos en el parque y también tocaba de puerta en puerta. Me hice de "respetable" clientela de esta manera, yo lustraba a generales, doctores, abogados y profesores, los cuales me pagaban más dinero que los clientes de la calle y también algunas veces me regalaban comida. Después de que me conocían y me tomaban confianza, muchos de ellos incluso me invitaban a comer en su propia mesa con ellos y ahí me enseñaban cómo usar tenedores y cuchillos y otras formas de etiqueta.

La experiencia de lustrar en estos hogares me hizo acumular sueños, como que yo un día podría tener una casa grande, mucha comida y un auto. Sueños de rico para un niño que crecía en los barrios más pobres de la ciudad de Guatemala. Trabajé en un bar sirviendo alcohol durante un mes y en donde nunca me pagaron el sueldo de nueve quetzales que me habían prometido. Algunas noches tenía que quedarme en el bar y dormía en una mesa, mis padres me confiaban que trabajara en ese bar porque sabían que yo era muy responsable e iba a seguir las reglas de mi padre. En ocasiones trabajaba en la noche en cines vendiendo Coca Cola y manías. También para el Día de los Muertos trabajaba en el Cementerio General vendiendo agua y limpiando los floreros de los difuntos.

Todo el dinero que ganaba se lo daba a mi mamá para que de esa manera pudiera comprar comida para la familia. El único dinero que yo guardaba era para comprar regalitos, dulces, pan y mangos para mí y para otros niños del barrio.

Yo, regularmente llegaba a casa con comida que pedía en las casas de los ricos o sobras que encontraba en los comedores de la estación de buses extraurbanos en la 19 calle de la zona 1.

Yo le llevaba a mi familia la mejor comida, pero nunca les dije a mis padres que yo buscaba en la basura del mercado de La Parroquia, aguacates o papayas con partes buenas para poder comérmelas y algunas veces tenía que competir con los perros de la calle por alguna comida en ese basurero. A mí me encantaba lustrar zapatos en los bares de La Parroquia, porque las prostitutas me protegían y los borrachos regularmente me pagaban dinero extra por el lustre. Las prostitutas me alimentaban y me contaban historias de su vida, posiblemente necesitaban un amigo para platicar y yo me alegraba de que me tomaran en cuenta y poder ayudarlas. Desde niño me convertí en una persona que complacía a medio mundo, desde los 8 años ya era un caballo de trabajo y buen proveedor.

Otros niños que yo conocí y con quienes lustré zapatos en las calles de Guatemala fueron Neto (apodado "Milton el Monstruo"); Joaquín (apodado "Quincho"), el cual me llevó varias veces al orfanatorio católico a comer desayunos gratis con las monjitas militaristas; "Caldo de llanta", el "Enano", Luis, Chito, "Caoba" (un jovencito que inhalaba pegamento de zapatos y que me dijo muchas veces que no me acercara a él porque no quería que yo hiciera "la misma mierda que él hacía" o que me perdiera como él lo había hecho), y otros nombres que ya no recuerdo.

De todos estos amigos, solamente Cheyo (mi primo) y Joaquín están vivos; el resto murió de alcoholismo o de adicción a otras drogas. Joaquín es un alcohólico en recuperación y Cheyo es cristiano evangélico y vive en Nueva York con su familia. He visto a Joaquín algunas veces cuando visito Guatemala y lo he llevado en mi auto alrededor de la ciudad, recordando viejos tiempos.

En 1981 invité a Joaquín a que viajara conmigo a Estados Unidos; él estuvo de acuerdo en acompañarme, pero cambió de parecer cuando le toqué la puerta a las 4 de la mañana el día de la partida. Cada vez que Joaquín me ve y hablamos, se arrepiente de no haberse venido conmigo.

En 2009 (también lo vi en el mismo parque en el 2013) regresé al parque donde lustraba cuando era niño y encontré a don Miguel, el viejo que ya era viejo cuando yo lustraba en ese parque. Él todavía lustra zapatos, le pedí que me lustrara mis zapatos, por lo cual le di una muy buena propina. ¡No lo podía creer cuando el viejo me reconoció! Me dijo: "Usted es San Martín, el niñito que le sacó la mierda al "Pelón", mierda, se mira increíble, el "Pelón" hace mucho tiempo que murió".

Regresé muchos años y me vi a mí mismo en un par de niños lustradores que se acercaron al escuchar mi plática con el viejo. Le conté a don Miguel que vivía en Estados Unidos y él me dijo que una de sus hijas también se había ido al norte y que al principio le escribía, pero al pasar el tiempo se olvidó de él. Me despedí de don Miguel con un abrazo, pensando que esa podría haber sido mi vida si no hubiera escuchado a mi padre y si no hubiera luchado duro por salir de ese parque. Al mismo tiempo, observé -por un momento- a los dos niños lustradores, y pensé en lo qué podría depararles el destino. Les deseo de todo corazón que un día puedan salir con vida de ese parque, que tengan una oportunidad como yo la tuve y que la sepan aprovechar para ser unos hombres de bien. Buena suerte a don Miguel y a los niños lustradores, que Dios o cualquier otra fuerza superior los acompañe en su jornada por la vida.

Capítulo 4

LA SEGUNDA PÉRDIDA

Yo idolatraba a mi hermano Alfredo. Era el segundo de los varones después de Carlos. Alfredo era muy guapo, valiente, inteligente y un increíble mujeriego. Criaba gallos de pelea a los cuales yo le ayudaba a alimentar con carne cruda para que se mantuvieran bravos; en las peleas ganaba bastante dinero, aunque nunca le quedaba después de tomar alcohol o regalárselo a gente más pobre que él. Pero más que todo, Alfredo amaba a las mujeres y tenía una incomparable exuberancia que hacía que ellas cayeran rendidas y él explotaba estas oportunidades completamente.

Por ejemplo, una vez cuando era muy joven, Alfredo y yo caminábamos juntos en una de las calles de la ciudad de Guatemala y vimos a un caballo al mismo tiempo que vimos a dos

Mi hermano Alfredo. Aquí tenía 21 o 22 años.

muchachas muy guapas caminando muy cerca de nosotros. Alfredo amaba los caballos y era muy buen jinete, entonces me dijo: "Mirá esto". Alfredo saltó y trató de montar el caballo para que las muchachas vieran qué tan bueno era con los caballos, pero no logró hacerlo porque el caballo fue más rápido que él y le mordió una nalga antes de que lo montara. Las muchachas vieron lo que pasó y una le dijo: "¿Lo mordió el caballo, joven?". A lo que Alfredo le contestó: "No" y luego se sentó tratando de parecer relajado. Sin embargo, después de que las muchachas se marcharon, me enseñó su pantalón y tenía una gran mancha verde atrás. ¡Cuando se bajó el pantalón, tenía una tremenda marca roja de la mordida del caballo en la nalga derecha y me dijo que le dolía mucho! Pero para él, esto no era nada, ¡haría cualquier cosa por una mujer!

Los hombres mayas bajaban a la ciudad para vender su carbón y usualmente tenían que jalar de tres a cuatro mulas. Esto lo hacían a diario. Alfredo regularmente saltaba y se montaba en la última mula de la fila, haciendo que el dueño se enojara mucho. ¡Cuando los hombres lo miraban montado en las mulas corrían a Alfredo con sus machetes! ¡Esto pasaba casi todos los días y Alfredo disfrutaba este juego, ellos nunca lograron atraparlo!

Una vez en el día de la Independencia, Alfredo y yo fuimos a ver una pelea de lucha libre, a él le encantaba este deporte. Nos tocó sentarnos muy cerca del cuadrilátero porque Alfredo ese día había ganado dinero en una pelea de gallos y pagó los mejores asientos. Uno de los luchadores rudos era el famoso "Alacrán", a quien Alfredo odiaba por sus sucios trucos en contra de los luchadores técnicos. Durante la lucha, el "Alacrán" le quebró una silla en la cabeza al luchador técnico y como nosotros estábamos tan cerca del ring, Alfredo se enojó tanto y puyó al Alacrán en las nalgas con un clavo de una banderita que había encontrado tirada en la calle. El "Alacrán" se puso furioso y saltó fuera del cuadrilátero para pelear con Alfredo; al ver que el "Alacrán" atacaba a mi hermano, le golpee las espinillas al luchador y eso le dio tiempo a Alfredo a defenderse y se armó un zafarrancho donde todo el mundo peleaba. De alguna manera, Alfredo me sacó del lugar sin que ninguno de los dos saliera golpeado, y se carcajeó como un loco. Ese fue un lindo día, ¡adoraba estar con mi hermano! ¡Él era el mejor y nunca tenía miedo! Lo extraño mucho, y en verdad desearía que estuviera vivo. Pero no puedes tener todo lo que quieras en la vida.

Desafortunadamente, aunque Alfredo no le tuviera miedo a nada ni a nadie, él tenía un defecto en el corazón desde que era un jovencito. Su corazón tenía un pequeño agujero y no bombeaba sangre correctamente, y necesitaba una operación muy costosa para arreglarlo. Por lo tanto, mi familia no podía pagar esa operación y Alfredo todo el tiempo supo que iba a morir joven. Por lo mismo, parcialmente debido a la expectativa de una vida muy corta, Alfredo se convirtió en el muchacho que se reía de la muerte y adoraba la vida.

Todo el tiempo decía "¡la vida es corta, por qué no disfrutarla cuando todavía podés!", yo traté de absorber esta filosofía todo lo que pude. En El Chical y en la ciudad de Guatemala, Alfredo fue mi mejor amigo, mentor y seguidor. Yo era la única persona a la cual él le confiaba sus adorados gallos de pelea.

Constantemente me decía que yo era muy inteligente y que iba a llegar muy lejos en la vida. Él me llamaba el "cabezón" y me decía que yo iba a ser el primero en la familia que iba a ir a la universidad. Alfredo me dijo que él me iba a ayudar a llegar ahí. Desafortunadamente, cuando Alfredo estaba comenzando sus 20 y yo tenía solamente 12 años, empezó a experimentar serios problemas del corazón. Él desapareció como por un año, en este tiempo estoy casi seguro que se unió a la guerrilla para pelear en la guerra civil, pero posiblemente fue dado de baja por su enfermedad. Su pobre circulación corporal le afectó el balance del agua en su cuerpo, se hinchó mucho y ya no pudo moverse de la cama. Me dijo que por favor lo cuidara cuando yo pudiera y pasé muchas horas junto a él a la orilla de su cama, y algunas veces incluso durmiendo juntos por una o dos horas.

Las mujeres que amaban a Alfredo también se abarrotaban a su alrededor mientras la esposa trabajaba. Dos días antes de su cumpleaños número 24, Alfredo murió. La noche antes de fallecer me pidió que le enseñara su propia fotografía, que estaba cerca de su cama, y dijo: "Yo era un muchacho muy guapo, lástima que tenga que morir y vos sos muy joven para hacerte cargo de mis mujeres".

Aproximadamente cinco horas después, mi querido hermano estaba muerto. Tengo una fotografía de la procesión de su funeral, donde se ve la calle completamente llena, con toda la gente que fue parte de la vida de Alfredo y que de alguna manera fueron tocadas por el deseo de vivir de él. Su entusiasmo por la vida y todo lo asociado a ello –diversión, peleas y amor– impactaron a cada uno alrededor de él, pero especialmente a mí. Una fotografía de la procesión del funeral también muestra la expresión de dolor en mi rostro durante este evento, como un poderoso testimonio de la forma en que yo me sentía en ese momento. Perdí tanto con la muerte de mi hermano, incluyendo mi amigo, guía y consejero. De alguna manera, Alfredo fue más que un padre para mí. A la edad de 12 años perdí a la persona en la que más creía, quien me iba a ayudar a alcanzar mi futuro, y con esta pérdida comencé a perder la fe en mí mismo. Este evento alteró por siempre el camino de mi vida.

El funeral de Alfredo, 4 de junio 1973.
Página anterior, izquierda a derecha: Cargando, Salomé, mi hermano Miguel y don Chus. Niña con flores Lety; a su derecha Carmen, la viuda de Alfredo, mi mamá, mis hermanas María y Adelina y yo. Miren mi cara, estaba pero muy triste.

Foto de arriba, izquierda a derecha: niña con flores mi hermana Yolanda, la niñita es Linda, la hija mayor de Alfredo, después Carmen, mi mamá, Lety, Adelina, yo, mi papá, Adelina, Antonio y mi padrino Nayito. Pueden ver cómo la gente amaba a Alfredo. Su muerte fue como su vida, con muchos amigos, mujeres y ruido.

Capítulo 5

LOS AÑOS EN EL PERIÓDICO

El año que siguió, todo estuvo desenfocado y borroso. Recuerdo que continué trabajando como lustrador pero no recuerdo mucho más. Creo que me sentía vacío y sin existencia. El dolor era muy intenso. En verdad que la capital de Guatemala no me había dado muy buenos momentos, casi todo era dolor y pérdida desde que me movieron de mi querido El Chical.

Cuando tenía aproximadamente 13 años, conseguí un empleo limpiando pisos y haciendo mandados en una editorial que publicaba un periódico. La encargada del mismo era una mujer muy inteligente, la cual observaba qué tan rápido yo podía aprender. Yo le lustraba los zapatos a su esposo, el director de la editorial, y también al resto del personal del periódico. Cuando empecé a trabajar en ese lugar mi jefa me dijo que un día yo iba a ser el supervisor. Sin embargo, en el principio, casi todos los hombres que trabajaban ahí se rieron de mí y me dijeron: "Vení y me lustrás mis zapatos patojo lustrador". Me sentí bastante herido y humillado con esta burla y en ese momento decidí que iba a luchar duro y a hacer lo que fuera necesario para aprender a operar todas

1973, yo tenía 13 años. Pretendiendo hacerla de reportero en la oficina de mí amigo Rolando Sanchinelli.

las máquinas en ese negocio y un día llegar a ser el supervisor que mi jefa dijo que iba a ser y demostrarles que ya no era el patojo lustrador que ellos decían.

En esa misma temporada, los dueños del periódico contrataron a una maestra para que educara al personal que estuviera interesado en editar y corregir el periódico. Aproximadamente 35 empleados de la compañía empezaron la clase y les pareció muy aburrida o complicada, pero yo tenía el impulso y el deseo de superarme y había prometido hacer cualquier esfuerzo para lograrlo y un día llegar a ser el supervisor de los que se burlaban de mí, y fui el único que terminó la clase. La maestra y los dueños me permitieron tomar la clase a mí solo y cuando finalizó, la profesora me invitó a seguir las clases gratis en su casa. Su hija, que también era maestra, empezó a darme clases cuando la mamá no podía. Pero esta fue otra historia difícil y como que la vida se había encargado de que la tristeza me siguiera, esta jovencita estaba muriendo de cáncer y había renunciado a su trabajo, se habia retraído de la vida y entrado en una fuerte depresión.

Sin embargo, cuando vio mi gana de aprender y el deseo que yo tenía por salir adelante, pareció que su vida se llenó de energía y su amor de educadora sobresalió sobre la depresión y, por un año, pasamos muchos ratos felices, yo aprendiendo y ella enseñando, una relación muy bonita de maestra/alumno y de muy buenos amigos. Ella murió al final del año, otra amiga que se me fue. Como pueden ver, la vida parecía que no tenía compasión de mí, pero yo no me daba por vencido y estaba dispuesto a luchar para seguir adelante y ser feliz.

Después de todo este trabajo, y luego de un año y medio, ¡fui promovido a supervisor, encargado de los hombres que se burlaron de mí, el patojo lustrador! ¡Qué victoria! Así, gracias al duro trabajo de mi parte y a la perspicacia de mi patrona, quien me ofreció una oportunidad, en muy poco tiempo me hicieron supervisor de una planilla de 13 hombres, por lo menos tres años mayores que yo.

Mi peor momento supervisando este grupo fue cuando un trabajador encargado de la guillotina que cortaba los libros, atrapó su mano bajo la cuchilla y se cortó cuatro de sus dedos. Todos estábamos muy asustados y no sabíamos qué hacer, hasta que me di de voluntario para mover la cuchilla para liberarle la mano, pero no sabía para qué lado moverla. Afortunadamente logré mover la cuchilla para el lado correcto y pude recuperar los dedos y los puse en una bolsa con hielo hasta que llegaron los paramédicos. Los cuatro dedos fueron reinstalados con éxito, aunque nunca le funcionaron normalmente al ciento por ciento, pero por lo menos el hombre tuvo su mano completa. Recuerdo que yo estaba muy nervioso y asustado sobre esta situación, después que los paramédicos se llevaron a este trabajador al hospital y cuando los otros trabajadores me preguntaron cómo me sentía, mi única

Mi amigo Rolando Sanchinelli se adelantó al tiempo cuando hizo este fotomontaje a principios de los 70's. Fui su modelo para sus experimentos.

estúpida respuesta que pensé en ese momento fue: "Me preocupa que no le puedan reinstalar los dedos, ¿cómo va a hacer el pobre Rasputin (su apodo) para limpiarse el culo?" ¡El nerviosismo en verdad te hace decir cosas raras!

Eventualmente, yo estaba ganando 320 quetzales al mes, lo cual era una enorme cantidad de dinero en esa época. Sin embargo, aunque yo estaba devengando un buen salario, el de mis trabajadores era muy bajo. Un día, todos los trabajadores me preguntaron si podía hablar con mi patrona sobre un aumento en sus salarios y si ella no estaba de acuerdo en incrementarles, pues todos iban a renunciar. Le pedí a la dueña que por favor tuviera una reunión con todos nosotros para discutir los salarios y enfrente de todos le presenté las demandas de mis trabajadores y le dije que yo los apoyaba en todas sus peticiones.

Desafortunadamente, aunque yo di la cara por todos ellos, cuando la dueña les preguntó si era cierta la demanda que renunciarían si no les aumentaba el sueldo, todos se acobardaron y dijeron que ellos seguirían trabajando por el mismo sueldo. Me sentí extremadamente traicionado y aunque tenía el mejor empleo con el mejor salario en esa industria, decidí renunciar porque desde niño aprendí a tener principios. Me sentí traicionado por mis subalternos y mi patrona. Ella era una persona muy buena conmigo y me recomendó para otro empleo en otra compañía muy grande; inicié el trabajo en la otra empresa, pero solo me quedé ahí por cuatro meses porque decidí que no me pagaban lo suficiente y que no tenía futuro en esa posición; mis ambiciones para mi porvenir eran otras. Por lo tanto, empecé a pensar que era tiempo para darle un giro a mi vida y que mi futuro estaba en California, Estados Unidos, ya tenía suficiente tiempo de trabajar tan duro y las cosas no salían bien en Guatemala.

En el 2009, en una visita a Guatemala en vías de trabajo, empecé a buscar a mi buen amigo Rolando Sanchinelli, uno de los mejores periodistas que Guatemala haya producido, quien fue mi mentor y amigo y quien me trató siempre como un colega cuando yo era solamente el patojo que hacía los mandados en el Diario El Tiempo/La Nación. Pude localizarlo por medio de otros amigos y cuando nos encontramos de nuevo él me reconoció inmediatamente, aunque habían transcurrido más de 30 años. Sanchinelli está jubilado pero sigue activo en muchas otras actividades. Desde el momento que nos reconectamos nos hemos estado comunicando regularmente por teléfono o en persona porque siempre comemos juntos cada vez que visito Guatemala. Cuando platicamos, en verdad siempre disfrutamos mucho recordando viejos tiempos en el periódico. Asimismo, encontré otro amigo reportero que también fue amable conmigo cuando era el niño de los mandados en el periódico, Roberto "Pupo" Sánchez. Ambos amigos me dijeron que estaban muy orgullosos del niño que conocieron hace más de 30 años. Fue muy lindo reencontrar a estos dos viejos amigos y seguir la amistad de tantos años.

Capítulo 6

CHICAS, ESCUELA, PANDILLAS Y FUTBOL

Mientras el dinero estaba fluyendo por mi trabajo en el periódico, pude darme el lujo de ordenar mi ropa con un sastre, comprar discos y libros. Me volví un ávido lector, leía todo tipo de literatura, desde Buck Rogers y Julio Verne (ciencia ficción), hasta viajes y política, incluyendo Archipiélago Gulag, de Alexander Soljenitczyn; El Príncipe, de Nicolás Maquiavelo (con comentarios de Napoleón Bonaparte); libros sobre el Che Guevara, y obras de Gabriel García Márquez y Miguel Ángel Asturias. Por medio de los libros escapaba de mi situación y experimentaba muchos aspectos nuevos de la vida, cosas que los campesinos de El Chical y mis compañeros de la ciudad nunca habían escuchado. Por medio de los libros me imaginaba viajando a México, California y España. Todo el tiempo, mientras lustraba, escuchaba a mis clientes y patrones hablar de viajes a lugares exóticos y remotos como Nueva York y Nueva Orleans. Yo siempre soñaba con hacer lo mismo.

Mientras los libros eran una pasión personal y solitaria, mi colección de discos no era lo mismo. Siempre compraba los últimos éxitos y los tocaba a alto volumen en mi cuarto en una radiola. Jovencitas de todo el vecindario visitaban mi casa para escuchar la música, pero mi madre se enojaba porque decía que solo llegan a ver si conseguían algo conmigo. Ella decía: "Estas mujeres no son buenas, parecen animales del monte que se quieren llevar a mi hijo". Celos de madre.

A la edad de 14 años empecé a tomar clases en la noche en el Instituto Epaminondas Quintana, ahí conocí a una chica que me gustaba, pero después de visitar su casa y ver que era de una familia rica, me sentí inferior y ya no quise seguir con la relación. Esta experiencia me hizo sentir que yo no era lo suficiente bueno o capaz para seguir estudiando y desafortunadamente renuncié a los estudios a pesar de que se me había ofrecido una beca para estudiar en México. Mi mamá pensaba que yo era muy inteligente y los gringos me habían ofrecido la beca para estudiar mi cerebro, y por eso no me dejó ir; mi pobre humilde madre nunca había ido a la escuela y no entendía de estas cosas, por eso no le confiaba su hijo a nadie ¡especialmente a estos gringos que querían robárselo, abrirle la cabeza y ver por qué era tan inteligente! ¡Mi linda y adorada madre, cómo la extraño!

No todo el tiempo estaba estudiando o trabajando duro, tenía amigos y amigas y me gustaba pasar el tiempo con ellos. Sin embargo, había pruebas que teníamos que pasar para poder pertenecer a la pandilla, tuve que pelear con el muchacho más grande de la pandilla ("La Garza" tres años más grande que yo) y de esa forma si le ganaba me hacía el líder del grupo. También, si alguien de mi grupo quería enamorar a alguna chica de otra colonia, teníamos que pelearnos con la otra pandilla primero. ¡La alegría de la juventud! Lo bueno de esos días era que las peleas eran parejas entre pandillas, uno a uno y con los puños solamente y se respetaba al ganador, perdedor y ganador al final estrechaban las manos.

Cuando tenía 18 años empecé a jugar futbol (un poco tarde para empezar con ese deporte), mi entrenador Fito me entrenó muy bien, empezando a las 5 de la mañana antes del trabajo, él era un karateca con mucha disciplina y supo hacer de mí un buen portero, mi apodo en el campo era la "Araña Negra", Fito decía que él me había desarrollado los brazos con su entrenamiento y así podía atajar los balones. En 1979, después de un año de entrenamiento, compré el equipo.

En 1978, cuando tenía 18 años, mi amigo "La Garza" me dijo que había una chica de ojos muy lindos trabajando en el mismo lugar que su novia y que debería ir con él y conocerla. Decidí escuchar a mi amigo y resolví conocerla, mi amigo tenía razón, la chica poseía unos ojos muy lindos, decidí cortejarla, sin embargo, el cortejo no fue fácil al principio, traté por semanas de hablar con ella, pero no me daba ninguna oportunidad. Entonces, finalmente me di por vencido y desistí de verla. No obstante, "La Garza" decidió servir de Cupido nuevamente y me dijo que Mary quería verme y hablar conmigo (lo cual ella nunca dijo; ella jura hasta este día que nunca le dijo a "La Garza" que me dijera que quería verme y hablar conmigo). Pero yo le creí a "La Garza" y le pedí a Mary una cita y me la concedió, pero fue un desastre.

La invité a un restaurante local ("Doberdan") y ordené pollo frito, papas fritas y aguas de "cola". Yo había comprado una camisa muy bonita para esa ocasión, con dibujos de caballos corriendo en una pastura, pero cuando traté de prensar una papita frita con el tenedor, esta voló y fue a aterrizar en la cara de Mary. Esto me puso muy nervioso y traté de agarrar la papita voladora y con el brazo boté el agua de "cola" en mi pantalón, cuando traté de agarrarla, ¡mi linda camisa nueva se rompió de todo el hombro! ¡Me sentí morir! Sin embargo, las cosas obviamente fueron mejorando después de un par de citas más, porque un año después Mary y yo nos casamos, ella tenía 16 y yo 19.

El tío de Mary, Chico, no me quería porque algunas veces me veía en la calle en el día, porque yo trabajaba algunas veces en la noche y creo que él pensaba que yo andaba en malos pasos y tal vez robaba por las noches. Yo creo que mi pelo estilo afro, mis pantalones de cuadros de colores y acampanados y mis camisas de seda anaranjadas que usaba en esos días no me ayudaban en nada y me hacían ver como un traficante de drogas bueno para nada. En el día de mi boda con Mary, en la fiesta de recepción, Chico, al estar embriagado, me propinó un golpe y por primera vez en mi vida no quise responder cuando me golpeaban. Veintiocho años después, Chico se disculpó por esa noche, diciéndome que todos esos años se había sentido culpable por lo que había hecho la noche de mi boda.

Mi primera hija, Claudia, nació casi exactamente al año de nuestra boda. En el hospital no había horas de visita, pero convencí al guardia de seguridad para que me dejara ver a mi pequeñita. ¡Recuerdo que en ese momento pensé que era la niña más bonita que había visto en mi vida! Cuando ella tenía hambre pegaba un silbido muy agudo desde su cuna. Una mañana cuando Claudia tenía solamente un año, Mary y yo estábamos desayunando cuando vimos que algo se movía en el piso. ¡Era la bebé que se había saltado de la cuna e iba gateando hacia el comedor! Esta niña aprendía rápido.

Después, cuando Claudia tenía como año y medio, por poco me causa un gran problema con mi padre. A él un amigo jardinero que trabajaba para el Gobierno le había regalado un arbusto de rosa muy especial, que solo el Gobierno poseía.   Mi padre pacientemente esperó por años a que ese arbusto floreciera. Él estaba muy emocionado y orgulloso esperando que la rosa se abriera, pero una mañana cuando estaba desayunando, ¡la pequeña Claudia caminó hacia él, sonriendo con la preciada rosa en sus manitas! Había cortado el precioso tesoro que tan pacientemente mi padre había esperado que floreciera, pero ella lo amaba a él tanto que cortó la flor y se la entregó como un regalo porque sabía cómo estaba de emocionado por esa rosa. Honestamente yo pensé que a mi padre le iba a dar un ataque al corazón o le pegaría a la niña, pero en vez de eso mi padre le sonrió y le dijo: "Gracias 'mija', es la rosa más linda que he visto". Mi padre amaba a la niña con todo su corazón y Claudia siempre recuerda los lindos momentos con su abuelito.

Coincidentemente, mi amigo Rolando Sanchinelli me contó que se sorprendió al leer esta parte de mi historia porque a él

le sucedió lo mismo con su nieta, e incluso publicó una poesía sobre su nieta y la flor.

Con Mary la chica de los ojos lindos. Izquierda cuando tenía 14 años. Derecha: en Sanarate, cuando ella tenía 15 años.

Con Mary en Esquipulas, 1979.

En Esquipulas. Con mi mamá, Mary y Claudia.

Mi papá y mamá con Claudia en nuestra casa en Guatemala.

Claudia y yo.

Capítulo 7

MIGRANDO
A CALIFORNIA

Empecé a trabajar en un periódico en Guatemala a principios de 1973. En 1978, cuando tenía 18 años, estaba en plena temporada la guerra civil en Guatemala, el diario donde yo trabajaba fue requisado por la guerrilla, la cual nos obligó a imprimir un periódico subversivo en donde contaban su lado de la guerra sobre las atrocidades del gobierno de esa época. La mayoría de los trabajadores era simpatizante de la lucha de la guerrilla y por lo mismo estuvimos de acuerdo en imprimirlo, aunque en verdad no se nos daba otra alternativa si queríamos conservar nuestro trabajo y nuestra vida. La producción del periódico tomaba lugar en la noche después de nuestro día regular de trabajo.

Sin embargo, encuentros cercanos con oficiales del gobierno, los cuales se aparecían inesperadamente sin anunciarse a inspeccionar el taller durante el día, me empezaron a hacer sentir incómodo, los asesinatos de varios de los colegas del periódico y ver cómo autos me empezaron a seguir después del trabajo a mi casa, comenzaron a asustarme y sabía que era tiempo de dejar Guatemala.

Con el grupo del periódico Nuevo Diario en 1981. De izquierda a derecha: Jorge, yo, Andrés, César, Maritza; hincados el "Chino" y Cecilio.

Entonces, después de un mes de haberme casado, a la edad de 19, decidí irme a California; según mis planes, trabajaría tres años para ganarme cinco mil dólares y podría regresar a Guatemala a abrir mi propia imprenta, porque posiblemente en tres años el Gobierno ya se habría olvidado completamente de mí.

¡El muchacho soñador! Empaqué una mudada de ropa y con 80 dólares en la bolsa abordé un autobús para México, para luego dirigirme a la frontera de Estados Unidos. Llegué a Tijuana solo, sin necesidad de coyote que me guiara en este primer viaje, ahí conocí a cuatro mexicanos que planeaban cruzar la frontera igual que yo.

Llegué a Tijuana sin un centavo y con mucha hambre y frío, pero muy emocionado porque ya había llegado a la frontera, por un momento me quedé mirando a un vendedor de tacos, cuando alguien que viajaba en una bicicleta me grita: "¿Eres guatemalteco?", y yo le pregunto "¿por qué preguntas?", él contesta "¡pos por la chamarra de quetzales que traes puesta!" ¡Yo que creí que había planeado todo muy bien para que la migra no me conociera que yo era de Guatemala, por completo se me olvidó que llevaba puesta una chumpa con quetzales! Le dije que la había comprado en el autobús y que si le gustaba se la cambiaba por el suéter que él traía y que me diera 10 dólares extra. Estuvo de acuerdo y de esa forma con el dolor de mi corazón me deshice de la prueba de que era guatemalteco y me dio diez dólares para poder comer.

Conocí a los cuatro mexicanos por medio del vendedor de tacos, que me preguntó si iba para el otro lado y cuando le dije que sí, me contó que en el hotel de la esquina de nombre Linda se hospedaban los mexicanos y que eran muy amigables. Los encontré y les dije que era mexicano de un rancho de Jalisco y que mi nombre era Mario Romero. "René Corado" no sonaba muy mexicano y necesitaba unirme a ellos y posiblemente, si les decía que era guatemalteco, no me aceptarían. Nos reunimos a medianoche para cruzar la frontera. Desafortunadamente fuimos apresados antes de cruzar por la corrupta policía federal de México, los cuales nos despojaron de todo nuestro dinero. Pero nos dejaron ir y logramos continuar.

Uno de los cuatro mexicanos, de nombre Pancho, que se había portado muy bien conmigo, usaba botas vaqueras de tacón alto y cuando íbamos corriendo, se lastimó un tobillo y ya no pudo continuar. Sus dos primos y el otro amigo le dijeron que tenía que regresarse a México porque por su estado físico comprometía a todos. Pancho estuvo de acuerdo, pero le dije que yo lo ayudaría, porque no tuve el corazón de dejarlo solo a expensas de algún animal salvaje que le pudiera hacer daño.

Cecilio, yo, Maritza
y el "Chino".

Después de discutirlo por un rato, los primos y el amigo, como no pudieron convencerme de que me fuera con ellos y dejara a Pancho, decidieron no arriesgarse y continuaron el viaje dejándome con él. Nos tomó varias horas, pero logramos cruzar a salvo hacia el norte. Esta jornada de Guatemala a California me tomó más o menos diez días. Me quedé en California aproximadamente un mes y luego decidí que el norte no era para mí, probablemente porque esta era la primera vez que me había separado por 5 mil kilómetros de mi familia. Entonces, decidí tomar la misma ruta de regreso a Guatemala sin medir las consecuencias de lo que me pudiera suceder.

Al regresar me di cuenta que había cometido un error y que me hubiera quedado en California. Trabajé en otro periódico en Guatemala por un año más, para ahorrar dinero, y luego decidí probar suerte nuevamente en Estados Unidos, pero esta vez solicité la ayuda de un coyote. En esta oportunidad viajé de la Ciudad de México a la frontera con Estados Unidos en tren. Durante esta travesía ayudé a salvarle la vida a una mujer llamada Naty, la cual insistió en usar zapatos de tacón alto durante el viaje. Cuando tuvimos que saltar al tren, el tacón se le atoró y cayó entre la plataforma y el tren, la jalé a un lugar seguro y casi pierdo mi vida en este proceso. Recuerdo que la gente que estaba en ese lugar gritaba que la soltara y que salvara mi vida. Ambos terminamos con muchas cortadas y moretones. Perdimos el tren, pero los dos sobrevivimos. La llevé a una farmacia para comprarle medicina y curarla lo más que pudiera y luego tomamos un taxi para tratar de alcanzar el tren con el resto del grupo. Como a las dos horas logramos alcanzarlo en el momento que estaba dejando la otra estación. Naty y yo corrimos hacia él, pero era un poco difícil para ella correr porque tenía la rodilla lastimada. Conseguí empujarla dentro del tren mientras que la gente adentro la logró jalar, entonces tuve que correr para subirme, estuve cerca de quedarme, pero al final y después de varios intentos logré subirme y unirme al grupo. Hasta este día, cada vez que Naty me ve, llora al acordarse cómo estuvo a punto de perder la vida.

Desafortunadamente, después de bajarme en la estación del tren, al llegar a mi destino, la policía mexicana me apresó y como no tenía pasaporte o visa me pusieron en la cárcel.

Los primeros tres días estuve en una pequeña cárcel en la ciudad de Puerto Peñasco. El primer día, recién entrando a la cárcel, tres grandes y feos presos mexicanos que estaban en la misma celda que yo empezaron a hostigarme para que les diera mis zapatos porque les gustaron, o simplemente para molestarme. Pero acostumbrado a pelear y a defender lo mío, estaba listo para pelear en vez de darles mis zapatos, sin darme cuenta del peligro que enfrentaba, porque nunca había estado en ninguna cárcel y no sabía qué tan sanguinarios estos presos podían ser; afortunadamente segundos antes de empezar la pelea, entraron varios de los hombres guatemaltecos que venían conmigo en el mismo grupo y que también habían sido apresados por la policía mexicana. Encarando con diferente suerte, los mexicanos decidieron desistir de la pelea y dijeron que solo estaban probando a ver si en verdad me defendía y que solo era una broma. Inmediatamente le pregunté al grupo si sabían qué había sucedido con Naty, si la habían capturado, pero me dijeron que una parte del grupo logró esquivar a la policía, luego me enteré que había llegado sana y salva al norte.

Después de un par de días, fui trasladado a una prisión de alta seguridad en la Ciudad de México, en donde los peores criminales estaban encarcelados. No tenía derechos, ni siquiera de poder llamar a algún familiar para pedir ayuda, nadie de mi familia en Guatemala sabía nada de mí, ahí no valés nada, no eres nadie ni le importas a nadie, es como si estuvieras muerto. Durante la primera semana, cuatro prisioneros me contaron por qué estaban presos: dos habían asesinado a sus esposas, uno por tráfico de drogas desde China y otro había asesinado a un policía en un robo de banco. Yo les dije que había huido de Guatemala porque era un guerrillero y que no recordaba a cuántos había matado. Pero por supuesto que lo hice por miedo a que me hicieran daño y que creyeran que yo era muy malo, al igual que ellos. ¡Claro que nunca ni siquiera le levanté la voz a ningún militar y tampoco peleé con la guerrilla, pero la historia funcionó, logré el respeto de estos criminales y me dejaron en paz!

Los oficiales de la prisión estaban seguros que yo era el coyote porque los otros del grupo siempre me trataban como si fuera el jefe, por el hecho de que yo les había contado que ya anteriormente había estado en Estados Unidos. Por lo mismo, los guardias decidieron detenerme hasta que me desesperara y les dijera la verdad, ¡pero al final terminé siendo amigo de todos ellos! Organicé un equipo de futbol, limpié letrinas por cigarrillos y café para mí gente y para mí; en general, los guardias me veían como una buena persona. Incluso, la policía de la prisión me dio detalles de cómo era la mejor forma de burlar a la policía mexicana para que no me atraparan la próxima vez que intentara cruzar para el norte. Después de muchos interrogatorios, acusaciones y blasfemias, aproximadamente un mes después, fui deportado a Guatemala.

No conforme de haber sido deportado, traté de cruzar nuevamente la frontera por tercera vez, dos años después.

Esta vez, seguí los consejos que los guardias mexicanos me dieron en prisión de cómo burlar a la policía mexicana y esta vez crucé con éxito a Texas. Como que las personas que necesitaban ayuda se me aparecían por doquier, porque en este viaje encontré a una mujer salvadoreña que al tratar de cruzar el río le dio pánico y se quedó casi en medio y ya no pudo caminar y, ni modo, tuve que ayudarla a cruzar (¡¿Recuerdan cómo me asustan los ríos?!).

Además, después de cruzarlo tuvimos que gatear adentro de un túnel de aguas negras contaminadas con heces fecales, esto me hizo enfermar durante varios meses.

Una vez en Texas estaba listo para viajar a California, pero terminé dándole el resto de mi dinero a una mujer llamada Olivia, quien también necesitaba viajar a California. Ella ya había estado ahí y si no llegaba a tiempo perdía su trabajo, en verdad esta mujer necesitaba llegar porque tenía que mantener a tres niños en Guatemala, le dije que me lo pagara cuando llegara de nuevo, en verdad, pensé que nunca la iba a volver a ver porque ni siquiera me había dejado alguna dirección, pero el dinero no me importaba, siempre que se usara para ayudar a alguien con mucha necesidad. Me quedé en El Paso por otros tres meses antes de poder reunir algún dinero para mi viaje a California. Aproximadamente una semana después de haber llegado a Los Ángeles, por sorpresas que el destino nos tiene preparadas, fui a buscar trabajo por los negocios cercanos al McArthur Park que estaba a dos cuadras de donde yo me había instalado, ¡y cuál fue mi sorpresa al ver a Olivia caminando por el parque! Muy emocionada corrió a abrazarme y me contó que consiguió recuperar su trabajo, me dio las gracias y me pagó el dinero que le había prestado en Texas. Al mismo tiempo, me presentó a su novio Luis, un ecuatoriano que me contrató para trabajar con él, me pagaría dos dólares la hora. Recuerdo una vez que estaba trabajando con Luis, quitando miles de pequeños azulejos de varios baños, llené un picop completo. Luis manejó hasta las colinas de Hollywood en donde me indicó que descargara el picop, yo no sabía de las leyes de California y pensé que era legal tirar los azulejos en la calle. Me llevó mucho tiempo descargar el picop y después de terminar muy cansado y listos para retirarnos, muchos vecinos nos rodearon y nos amenazaron con llamar a la policía si no recogíamos los azulejos. De nuevo, tuve que cargar el picop, si no nos íbamos a la cárcel. Esto era el norte.

Capítulo 8

Mi FAMILIA

Después de haber llegado a Estados Unidos me establecí en una de las peores áreas del condado de Los Ángeles: el área de Wilshire llamada McArthur Park. A principios de los años 1900, esta área fue un lindo bosque, pero en la época en que yo viví ahí fue una horrenda jungla de concreto. Trabajé muy duro día y noche y después, de nueve meses, logré ahorrar lo suficiente para pagar un coyote que me trajera a Mary y a mi hijita Claudia a Los Ángeles.

Inicialmente viví compartiendo un apartamento con mi amigo Víctor el "Chino", a quien conocí en mi segundo viaje a esta ciudad y que por cierto, era amigo de Naty. Cuando llegó mi familia, alquilé un pequeño cuarto en un hotel ubicado enfrente del McArthur Park. El hotel era un nido de vendedores de drogas y prostitutas, pero era el único lugar que mi pequeño sueldo me permitía pagar.

Le prometí a mi familia que lo más pronto posible nos moveríamos de ahí, Mary, como siempre, confió en que así lo haría. En este hotel, las máquinas de lavar ropa estaban en el primer nivel. Cuando teníamos que lavar, nos asustaban los traficantes de drogas, pero preferimos no meternos en líos con ellos. Sin embargo, estos le regalaban a Claudia dulces y a veces le ponían flores en su pelo, ellos adoraban a la niña. Un día, uno de los peores y malos traficantes (un cubano pelón) comenzó a jugar con Claudia y estaba tratando de hacerla reír. El pelón estaba riéndose y en ese momento Claudia le dice: "Cállate, de qué te ríes pelón turco". Recuerdo que todo el cuerpo se me paralizó pensando que este hombre nos iba a asesinar a los tres. El hombre se quedó callado por un momento viendo a la niña fijamente, y de repente comenzó a reír sin parar como por diez minutos. Después de ese acontecimiento, cada vez que veía a Claudia le decía "Hola, soy el pelón turco" y se reía.

También había un enorme afroamericano trabajando en el hotel donde vivíamos, era un gigante de más de dos metros de alto y más de 300 libras de peso. Yo todavía no hablaba inglés y regularmente oía a otros afroamericanos que cuando lo veían le decían "Hey, *fool*", yo pensé que su nombre era "Hey, *fool*". Por lo menos por tres meses, cada vez que lo veía lo saludaba diciéndole "Hey, *fool*" y él respondía "hey". Después descubrí que su nombre era Paul y que "Hey *fool*" quería decir "hola, pendejo", ¡me asombró mucho que este afroamericano gigante no me hiciera pedacitos con solo una de sus gigantes manos!

El McArthur Park definitivamente era un barrio muy peligroso para vivir, pero era el único lugar donde el alquiler era barato. Una madrugada de 1983, como a la una de la mañana cuando llegaba después de trabajar en dos empleos de día y parte de la noche, yo iba muy feliz porque había recibido mi paga en los dos trabajos. Pero cuando llegué a mi apartamento y estaba buscando las llaves para abrir la puerta, tres tipos trataron de robarme. Yo, acostumbrado a pelear, conseguí golpear a uno y tirarlo al suelo, pero los otros dos me golpearon en la cabeza con un cuchillo y me tiraron al suelo en donde me patearon con mucho coraje y venganza porque había golpeado a uno de sus compinches. Después de usarme como balón de futbol y cansarse de golpearme, tomaron mi dinero y corrieron del lugar. Mi camisa estaba completamente cubierta de sangre porque me habían hecho una herida grande con el cuchillo en la cabeza. Corrí a mi apartamento en donde tenía un machete, regresé con el mismo a tratar de encontrarlos. Corrí por toda el área del McArthur Park como un loco con machete en mano y cubierto de sangre, parecía como si hubiera matado a alguien. Desafortunadamente o afortunadamente no los encontré, pero con mi apariencia asusté a mucha gente en la calle. ¡Probablemente era muy difícil diferenciar quién era más peligroso en esa madrugada, si ellos o yo! ¡Ah, el norte, tan bonito que me lo pintaban en Guatemala, y tan diferente que era la realidad!

En 1984 había trabajado en varios lugares y ahorrado una cierta cantidad de dinero, lo suficiente para alquilar en otro lugar mejor, a un par de cuadras del McArthur Park. Después de esto comencé a ayudar a familiares de Mary y míos a que se vinieran al norte, porque a pesar de todo, parecía que aquí era más seguro que la situación en Guatemala. Por supuesto que al llegar se venían a vivir con nosotros en el mismo apartamento. En una ocasión tenía a siete personas viviendo en el mismo cuarto y como casi todos llegaron en la misma temporada, yo tenía que correr con los gastos de todos, hasta que lograron establecerse. En esta época solo teníamos una cama que se doblaba y se convertía en puerta del closet. Mary,

Claudia y yo dormíamos en la cama, mi cuñada y el esposo debajo de la cama, mi hermano en el sofá y mi hermana en la cocina. ¡Para ir al baño en la noche era una batalla, parecía un campo minado, teníamos que tener cuidado de no pararnos en alguien! Pero todos vivíamos en armonía y nos llevábamos muy bien, luego mi cuñada y el esposo (mi compadre) y nosotros logramos alquilar un apartamento más grande, mi hermano y hermana tomaron su propio camino. Vivíamos en el cuarto nivel en un apartamento de la esquina y hubo un terremoto muy grande. Fue un horror para nosotros porque las paredes de la esquina se separaron y podíamos ver hacia afuera. Pensamos que estas iban a colapsar, pero milagrosamente se volvieron a juntar; esa noche dormimos en la calle para nuestra seguridad. Fue mi segunda experiencia de terremotos después de vivir la pesadilla del terremoto de 1976 en Guatemala, en donde murieron 30 mil personas. El edificio fue declarado "inseguro" y nos tuvimos que mover a Hollywood.

En 1985, otra tragedia azotó la vida de mi familia nuevamente. Mi hermana Adelina y su esposo fueron asesinados a balazos a quemarropa en el carro donde viajaban en una autopista de Los Ángeles. La policía nunca logró encontrar al culpable. Lo importante fue que los asesinos no balearon a la bebé de nueve meses que iba en el asiento de atrás del auto. Como nadie en California o Guatemala tenía dinero para sufragar los gastos de los funerales, yo tuve que ver qué hacía para enterrarlos. En un lindo gesto de apoyo, mis compañeros de clase de la escuela en donde yo estudiaba por la noche, empezaron una campaña de recaudación de fondos para mí. Al mismo tiempo, le pedí un adelanto de mi salario de 200 dólares al tacaño de mi patrón donde trabajaba, el cual me dijo que no tenía dinero y que solo me podría proporcionar 20 dólares (como nota aparte: cuando este hombre murió en el mismo año, le dejó en su testamento varios millones de dólares a mi presente empleador). Me tomó muchos meses poder pagar los costos de los funerales porque al mismo tiempo Mary y yo decidimos adoptar a la bebé Adelina. Tuve que pelear en la Corte por los próximos dos años para poder adoptarla. Afortunadamente logré criar a Adelina como una de mis propias hijas. Claudia es mayor que Adelina cuatro años y René Jr. es cuatro años menor que Adelina, Eddie el menor es dos años menor que René Jr.

Mary me contaba que cuando yo tenía que viajar a Costa Rica a conducir trabajos de investigación por varios meses por parte de mi trabajo con la Western Foundation of Vertebrate Zoology en los 80's y 90's, Eddie se entristecía mucho y cada tarde se asomaba a la ventana para ver si regresaba. Decía que cuando su papi regresara, él le iba a bailar quebradita.

Me dolía mucho separarme de mis niños cuando tenía que salir del país a trabajar, era la cosa más dolorosa del mundo. Pero tenía que hacerlo para poder poner comida en la mesa para mi familia, pero la separación de ellos en verdad me dolía mucho.

Solíamos decir que Jr. y Eddie jugaron futbol desde que estaban en el estómago de Mary, porque ella, cuando estaba embarazada de ellos, siempre asistió a los partidos de futbol que yo jugaba, incluso Claudia jugó futbol cuando era niña, solo Adelina nunca lo hizo. Los dos muchachos fueron muy buenos jugadores y todavía lo son, ambos fueron y son porteros como su papá.

Es increíble cómo pasa el tiempo y cómo cambian los papeles. Recuerdo cuando yo llevaba a mis niños a jugar futbol y cuando se lastimaban jugando, yo los sacaba cargados de los campos. Mis dos niños ahora miden más de dos metros y cuando quieren jugar conmigo me levantan con un solo brazo y me echan sobre su hombro. Ellos siguieron jugando futbol y formaron su propio equipo, en donde me invitaron a jugar con ellos, cuando me lastimo, me sacan cargado. En el presente, jugamos en el mismo equipo, Claudia, René Jr., Eddie y yo.

Para escribir sobre mis hijos tendría que hacer un libro aparte porque tengo muchas cosas lindas que contar sobre ellos. Espero que toda mi familia sepa cuánto los amo, he tratado de demostrarles mi amor todos estos años. Mis hijos son mis amigos y quiero darle mucho crédito a Mary por ayudarme a hacer de ellos unos buenos hijos, hijas, hermanos, hermanas, padres, amigos y ciudadanos. ¡Gracias a mi maravillosa familia por ser tan buena!

Claudia y Adelina, 1987 • René Jr. Cuidando a su hermanito Eddie, de 4 días de edad, Jr. tenía 2 años. 1991 • Pasando un buen rato con mis dos niños, Eddie y René Jr. Camarillo, CA, 1996.

Mis niñas bailadoras, Claudia a la izquierda y Adelina a la derecha. Abajo: con mis niños en Camarillo, Eddie a la izquierda cortando la sandía que el sembró, Jr. a la derecha.

Jr. rasurándose por primera vez, Camarillo, 1993 • Los niños que aprendieron a jugar futbol en el estómago de Mary. Arriba Jr., Abajo Eddie. 1997.

Los Corado. Arriba: Jr., Eddie, Adelina, Mary, Claudia y yo.
Abajo: Jr., yo, Mary, Eddie, Claudia y Adelina. Camarillo, 1997.

Capítulo 9

REANUDANDO MI EDUCACIÓN

Un día de invierno en 1982 decidí entrar a una venta de donas para comprar un café y una dona. Llovía a cántaros y pensaba tomarme mi café y comerme la dona dentro del negocio mientras la lluvia pasaba. Sin embargo, en ese tiempo todavía no hablaba mucho inglés, y cuando la cajera me dijo *To go* (para llevar), no le entendí lo que me decía y le respondí con lo más fácil y una de las pocas palabras que sabía que era *yes* (sí), la cajera puso la dona en una bolsa de papel, y yo viendo esto pensé que tenía que irme a comer la dona fuera del negocio. La próxima semana traté de tomarme mi café adentro del negocio y nuevamente fue la misma historia: *To go*, *yes*, y la dona en la bolsa nuevamente.

Recuerdo que pensé, "¿cómo es esto que al tipo que iba delante de mí dijo *yes* y le pusieron la dona en un azafate para comer adentro?" La próxima semana pensé "¡Ya le atiné, esta vez sí comeré mi dona adentro! Le cambiaré la respuesta a "no" y de plano que me la ponen en un azafate. Esta vez la mujer me preguntó *For here*? (¿Para aquí?) Y yo le contesté "no", ¡La dona se fue a la bolsa nuevamente!

En este momento supe que era tiempo de ir a la escuela para aprender inglés (lo cual hice, pero no regresé a la venta de donas hasta que aprendí cómo contestar).

Por mucho tiempo, yo compraba latas de atún para hacerme sándwiches rápidos para llevar a mis trabajos y me gustaban los de la latita azul con la foto de un gatito, yo pensé que el mismo era la marca del atún, pero al poder leer la lata ¡qué sorpresa, era atún para gatos! Les confieso que el atún sabía muy sabroso, pero preferí ya no comerlo. Cosas chistosas en mi vida.

Interrumpí mis clases de inglés después de la muerte de mi hermana y cuñado, pero las reanudé en 1988. Después de un año de clases, la directora me dijo que hablaba suficiente inglés y debería tomar el examen para el octavo grado, lo cual hice y aprobé, y un par de meses después me sugirió que tomara el examen para el equivalente de preparatoria. Nuevamente, lo aprobé. La directora me dijo que al haber aprobado ese examen ya había cerrado mi carrera y no tenía que tomar más clases. Sin embargo, no me gustó la idea de que con solo un examen hubiera terminado mi carrera y sentía como si hubiera mentido, así que decidí tomar todas las clases de nuevo para sentirme mejor. Pasé en limpio todos los cursos, incluso con los grados más altos de la escuela, y en 1991 me gradué con honores, recibiendo el codiciado galardón *Diploma Plus Award* y fui honrado asistiendo a un almuerzo con el alcalde de Los Ángeles, Tom Bradley.

De alguna manera este honor se transformó en un pequeño desastre, como otros que tuve en momentos muy importantes en mi vida (como mi primera cita con Mary). En esa ocasión decidí tirar la casa por la ventana y alquilé un auto en donde viajé con la directora y otros dos estudiantes que también habían sido honrados con el almuerzo. Por cierto, yo estaba muy nervioso y cuando estacioné el auto en la alcaldía ¡lo cerré con llave y dejé las llaves adentro! ¡Tomó mucho tiempo hasta que alguien llegó a ayudarnos, mientras tanto, yo sudaba intensamente por lo ansioso que me sentía! Tuvimos que correr hacia el restaurante y llegamos justo a tiempo. Sin embargo, en ese lugar yo no estaba acostumbrado a comer en primera clase y no sabía qué herramienta o utensilio era para qué cosa.

Entonces, cuando el asistente del alcalde se sentó a nuestra mesa y nos congratuló y nos ofreció té, ¡yo tomé la jarra con el té caliente y lo vacié en una copa de cristal que era para agua fría! ¡Podía ver cómo la delicada copa se rajaba y hacía ruido al mismo tiempo! Todos se quedaron viendo la copa, incluso el asistente del señor Bradley, yo me quería morir de la vergüenza; en ese momento deseaba que la tierra me tragara, pero el asistente del señor Bradley dijo: "Eso es algo que nunca había visto anteriormente. Es muy interesante". ¡El tipo fue muy dulce! ¡Al final, la copa no se quebró completamente, solo se rajó, pero esa fue una experiencia muy embarazosa!

Fui elegido para dar una plática en la graduación y en la oficina de la directora, me prepararon la plática en piezas de papel y me dijeron cuántos minutos tenía para finalizarla. Mis padres estaban presentes en la graduación. Comencé muy bien, pero después de cinco minutos ya no leí las notas, e hice mi propia plática. La gente se reía mucho y la directora me hacía señas para que leyera las notas, pero todos mis compañeros estudiantes me animaban a seguir y ¡por supuesto, yo adoraba el hecho que la gente se estuviera divirtiendo mucho! Recuerdo que cada uno de los estudiantes tenía una bolita de hule que tiraron al piso para la audiencia cuando terminé la plática, los niños que estaban presentes se abarrotaron a agarrar las bolitas y la directora no encontraba qué hacer para controlar todo eso. ¡Esa fue una locura y una gran noche!

Después de las graduaciones, Ángela, la directora, ofreció ayudarme a buscar una beca para que continuara la universidad, pero creí que yo no era material de ese nivel y me asusté, por eso no proseguí.

Aquí en la ceremonia con el alcalde de Los Ángeles. ¿Recuerdan que le eché agua caliente a la copa y se rajó? Ángela, la directora es la última a la derecha yo a su izquierda • Día de la graduación. Mary, Jr. en brazos, Eddie en el vientre, Claudia, Adelina, yo, mamá y papá. 1991.

Capítulo 10

MI TRABAJO EN *BLEITZ WILDLIFE FOUNDATION*

Los diferentes trabajos que realicé durante este período incluyeron instalar tubería de riego en jardines, lavar platos y cocinar en un restaurante griego, pegar papel tapiz en un hotel y soldar gabinetes de metal para oficinas. El trabajo de soldar gabinetes en Art Steel of California fue el mejor pagado de todos los que tuve en Estados Unidos, me pagaban $10 por hora, más beneficios completos de salud para mi familia y para mí.

Este negocio empleaba una cantidad grande de trabajadores indocumentados; la segunda semana de trabajo llegué media hora tarde porque el auto en el que me llevaban se descompuso en el camino, pero cuando llegué casi no había nadie porque llegó la migración y arrasó con casi todos los trabajadores. ¡Algo me tenía preparado el destino y no era tiempo de que me regresara a Guatemala! Aproximadamente un mes después de empezar a trabajar en este lugar, un gabinete se me deslizó y me cayó en un brazo, causándome una cortadura muy grande que necesitó varios puntos y me incapacitó para seguir soldando. Mi supervisor me dijo que me estuviera en casa hasta que sanara la herida, pero solicité permiso para presentarme a trabajar, no para soldar, sino para aprender el funcionamiento del mobiliario. Aprendí a operar la mitad de las máquinas de ese lugar durante la recuperación de la herida. En este tiempo, los patrones despidieron al supervisor porque lo encontraron ingiriendo licor en el trabajo y le ofrecieron el puesto a Reina, la segunda a cargo. Ella me preguntó que si le podía ayudar, porque no sabía el funcionamiento de varias máquinas y me dijo que si yo no aceptaba, no tomaría el puesto porque era muy complicado.

Decidí aceptar y me hicieron el segundo a cargo de un grupo grande de soldadores y constructores de gabinetes de metal. Todo estaba funcionando muy bien, pero como a los tres meses en mi nuevo puesto, Reina se enteró de que la compañía, para reducir gastos, se iba a mover a México y decidí que era tiempo de buscar otro empleo y seguir adelante.

Conseguí un empleo en un restaurante griego lavando platos y como siempre mi curiosidad y la gana de aprender algo nuevo, le pregunté a la cocinera que si podía aprender cómo cocinar, y ella estuvo de acuerdo en enseñarme. A los pocos meses de ser lavaplatos, el dueño abrió otro restaurante y me ofreció el puesto de cocinero (¡confieso que nunca me ha gustado cocinar!). Trabajé aquí por aproximadamente un año, pero una noche renuncié repentinamente después de que la esposa del dueño me gritó porque la comida no salía tan pronto como ella quería, aunque yo no tenía todo el personal esa noche y como era sábado teníamos casa llena.

En 1982, cuando tenía 22 años, Luis, el ecuatoriano, me llevó a hacer un trabajo a la *Bleitz Wildlife Foundation*, teníamos que construir una casa equipada con sistema de riego y calefacción para criar miles de orquídeas. El dueño me contrató por $3 la hora, Luis me pagaba a $2 la hora. El dueño de esta fundación, Donald Bleitz, era un fotógrafo de vida silvestre que tenía su propio aviario en la azotea de su edificio de apartamentos en Hollywood. Aunque este tipo era un completo tacaño, patán, me contrató para que cuidara sus 80 aves entre otras muchas obligaciones, algo que en verdad me gustaba mucho. Esta fue la primera vez desde que dejé El Chical que pude nuevamente estar cerca de la naturaleza en alguna forma. Bleitz me proporcionaba la fruta todos los días para que alimentara a las aves, con la advertencia de que nunca podía comer ninguna. Un día que no contaba con dinero para comprar almuerzo y tenía mucha hambre, decidí "robarme" un banano de la caja que me había dado para las aves, que era más de lo que podían comer, yo sabía que estaba quebrantando las reglas de Bleitz, ¡pero estaba hambriento! ¡Y claro, mi suerte, en ese momento se apareció Bleitz y caminaba directo hacia mí! Me escondí el banano en la bolsa del pantalón. Él sabía que había algo raro conmigo y como nunca he sido un buen ladrón, me puse muy nervioso. Me preguntó qué tenía en la bolsa y le dije "nada", pero en ese momento me golpeó la bolsa del pantalón y me apachurró el banano. Al principio se rió mucho al ver mi pantalón manchado por el banano, pero después me regañó por varios minutos y me tachó de ladrón. Aprendí de este incidente, que este tipo no era un buen hombre y que absolutamente no tenía compasión por otro ser humano que estaba en

más necesidad que él. En verdad que después de esto, el
tipo no me caía nada bien y seguí trabajando en ese lugar
solamente porque adoraba trabajar con colibrís, urracas,
pericos y otras aves que de chico había visto en El Chical.
También teníamos una colección de mariposas vivas y yo
tenía que cuidarlas, recibíamos los gusanos de Sudamérica
y yo tenía que alimentarlos, luego manteniendo los capullos
húmedos y después que se convertían en mariposas las tenía
que alimentar con una jeringa con agua azucarada. Bleitz les
tomaba fotos junto a aves y orquídeas y luego las poníamos
dentro de bolsas de plástico en el refrigerador por un par de
meses, después a repetir lo mismo, esto lo hacíamos varias
veces hasta que las mariposas morían y las disecaban. Yo
ayudaba a Bleitz a tomar estas fotografías, lo mismo que las
aves. De cualquier forma, este era un hombre cruel; para que
las aves se estuvieran quietas en un solo lugar y poderles
tomar la foto, él las cegaba con un potente flash y cuando
"despertaban" volaban alrededor del cuarto de fotografía, yo

En la casa de las orquídeas, en Hollywood, *Bleitz Wildlife Foundation*, 1982.

las atrapaba y a cegarlas nuevamente para que se quedaran quietas. Después de un año trabajando con él, le pedí a Bleitz un aumento de sueldo, pero me dijo que como no hablaba inglés no me podía aumentar. Él no sabía que yo estaba tomando clases de inglés y un día tuve el suficiente valor y le dije muy claro y con mucho orgullo: *The weather today is good*, "El clima de hoy es bueno", ¡Esperaba que él se alegrara de que yo hablara inglés y me aumentara el sueldo! Él se asombró, pero no me dio el aumento. ¡En verdad era un tacaño!

Sucedieron cosas chistosas en ese lugar. Por ejemplo, teníamos muchos problemas cuando llovía por los cientos de plantas que teníamos en el techo, las raíces se introducían en él y causaban muchas goteras. Para encontrarlas, yo tenía que meterme al ático. Un día, Bleitz me enseñó una gotera en su apartamento y me dijo que tenía que irse el próximo día por la mañana al Valle de Coachella, y que era un buen día para arreglarla a cualquier hora. Temprano me metí al ático pensando que Bleitz se había ido a Coachella, pero cuando estaba cerca del apartamento oía ruidos que venían de abajo. Llegué muy cerca de una ventanilla del aire acondicionado y pude ver hacia la recámara ¡y qué sorpresa al ver al míster serio y tacaño teniendo un súper buen rato con su ama de llaves! Me puse muy nervioso porque Bleitz estaba mirando directamente hacia mí (porque él estaba abajo y la señora encima), rápidamente me regresé para salir inmediatamente del ático sin hacer ruido, pero creo que por lo nervioso y lo rápido que salí, hice mucho ruido, pero Bleitz nunca me comentó nada de esto. ¡El gringo era tacaño, pero al menos se divertía!

Además de cuidar las aves y mariposas, también me encargaba del cuidado del edificio de apartamentos de

Bleitz. Fue aquí donde conocí a personas muy especiales, incluyendo a Sonny Trinidad o "Trini". Este era un actor de Hollywood que tenía muchas películas que incluían "*Karate Kid*", "*Black Widow*", "*China Beach*", "*When Nature Calls*" y series de televisión como "*Malcom in the Middle*". Yo le limpiaba su apartamento y le ayudaba en otras necesidades, como ir al supermercado a comprarle víveres, y nos hicimos muy buenos amigos durante los años que lo conocí. Después de que murió en 2003, ¡me sorprendió mucho cuando supe que en su testamento me había dejado $5 mil! ¡Siempre pensé que sería muy bonito que alguien me dejara algo en el testamento porque lo había visto en las películas muchas veces, pero nunca pensé que esto me ocurriera a mí y que vendría de un actor! Todavía conservo muchos regalos que "Trini" me dio cuando estaba vivo y son cosas que él utilizó en sus películas.

En 1985 Bleitz se enfermó y fue hospitalizado. Yo lo visité en el hospital y lo primero que me dijo fue "Qué haces aquí, vete a trabajar y alimenta las aves". Murió el siguiente día y no puedo decir que me puse triste por su partida.

Capítulo 11

Los años en la *Western Foundation*

Cuando murió Donald Bleitz pensé que era tiempo de dejar Estados Unidos y regresarme a Guatemala. Había decidido que los anglosajones, los cuales eran los que proporcionaban los trabajos, eran tacaños y crueles y sería mejor regresarme a mi país. No era dueño de auto y vivía relativamente en la pobreza en Los Ángeles, y no ganaba suficiente dinero para mi familia que estaba creciendo. Ya estaba decidido, para mí esto ya no funcionaba. El norte no era para mí; para seguir sufriendo mejor lo haría en mi tierra. Sentía que casi todo salía mal, no avanzaba a pesar de que cada día me proponía a luchar duro, no quería dar mi brazo a torcer, pero ya no me quedaban fuerzas, aunque trataba de ser positivo y pensar que si seguía luchando, tarde o temprano vendría la recompensa.

Entonces ocurrió un milagro. Un colega de Bleitz, de nombre Ed Harrison, tomó posesión de la *Bleitz Wildlife Foundation*, porque Bleitz se la dejó en el testamento. Resultó que Ed Harrison era otro anglosajón muy poderoso, pero este gringo no solo era rico en dinero sino también en generosidad, compasión, sinceridad y muy amigable; en otras palabras, este tipo era a todo dar, la otra cara de la moneda, un ángel que se apareció en el momento en que lo necesitaba. La luz al final del túnel. La recompensa que estaba esperando. Cuando me conoció me dijo que tenía que trabajar para él; al principio pensé que iba a ser otro tacaño, patán como Bleitz, pero estaba completamente equivocado. Él me dobló el salario y cuando se dio cuenta de que no poseía auto y que tenía que tomar el autobús para ir a trabajar todos los días, ¡me regaló el auto nuevo de su hija mayor! Ese fue el primer automóvil que tuve en mi vida. ¡Cuando llegué a casa ese día, Mary se sorprendió mucho y se llenó de alegría! ¡Por supuesto, nunca pasó por la cabeza de Ed si yo sabía manejar o no! Por lo mismo, parte de la aventura de ese día fue llegar con el auto a mi casa sin ser aprehendido por la Policía, porque yo no tenía licencia y nunca había manejado antes, pero no le quise confesar esto a Ed porque no quería perder la oportunidad de poseer un carro propio.

Ed Harrison era el fundador y presidente de la *Western Foundation of Vertebrate Zoology* (WFVZ). Ed me dijo que yo estaba obligado a trabajar para la WFVZ porque Bleitz me había dejado en el testamento y si trataba de dejar la Fundación, él me iba a balear las piernas (por supuesto que estaba bromeando). Ayudé a Ed con trabajos en la Fundación y también en proyectos personales. Por ejemplo, viajamos juntos a Palm Springs a conseguir rocas para el jardín de su casa. Yo estaba teniendo problemas en mover unas rocas porque eran muy grandes y pesadas y él se burló de mí diciendo que no tenía fuerzas suficientes para moverlas. ¡Entonces, jalé fuerte el carrito para enseñarle que tenía fuerzas, y lo quebré! En el camino de regreso a Los Ángeles, Ed se mostraba molesto conmigo porque había quebrado su carrito preferido -construido especialmente para él para mover rocas-, pero yo creo que me llegó a estimar porque vio en mí, lo fuerte y determinado que podía ser.

El primer año trabajando en la WFVZ ayudaba a mover y arreglar cosas, trabajaba en el jardín y hacía mandados, despacio me fui introduciendo en el trabajo de aves del museo, como por ejemplo, preparar pieles de estudio (disecar aves o taxidermia) y vaciar huevos. Ed y otros biólogos me enseñaron cómo hacer el trabajo con aves, primero aprendí a ser muy rápido en disecar las aves y después a preparar huevos. Ed fue muy paciente y buen maestro, pero los otros dos biólogos, Pedro, que era de mi misma edad y Frank, un gringo, fueron muy difíciles, era muy complicado trabajar con ellos, me tiraban mis pieles a la basura diciéndome que no servían, después de que yo había invertido muchas horas trabajando en ellas. A pesar de todo, aunque no se portaran muy bien conmigo, era muy divertido trabajar con ellos, especialmente porque les gustaba hacer travesuras a medio mundo. Tuvimos buenos ratos juntos y aprendí bastante de ellos.

Aprendí muy bien a disecar y a preparar huevos, y por esa razón, Ed y el director del museo decidieron que podía integrar el grupo de biólogos que trabajaba en la WFVZ. De 1988 a 1992 fui enviado con un grupo de biólogos a colectar aves, huevos y nidos a Ecuador. Cada visita era por tres meses y regularmente éramos transportados en helicóptero, con provisiones solamente para un par de semanas y solo le decíamos al piloto: "Te vemos en este mismo lugar en tres meses".

La mayoría del tiempo trabajaba solo con Pedro, que se portaba como un prepotente, pero era buen biólogo y muy valiente en el campo; desafortunadamente algunas veces llegaba al punto de pasar de valiente a estúpido porque ponía la vida de los dos en peligro. Colectábamos y preparábamos cientos de especímenes cuando estábamos en el campo y regularmente no contábamos con suficiente dinero para comprar provisiones o comida cuando las necesitábamos. La mayoría parte del tiempo nos alimentábamos de la selva, con lo que cazábamos o de frutas. Viajábamos por todo Ecuador, a pie, a caballo, en canoa, en carro o helicóptero, a través de las junglas amazónicas hasta los picos más altos de Los Andes, metiéndonos en problemas, disfrutando y trabajando muy duro.

Algunas veces nos acompañaba un colega investigador de Europa, John. A él le gustaba tomar mucho alcohol y yo tuve que sacarlo de muchas situaciones locas con mujeres y la policía. Por ejemplo, en una oportunidad fui invitado a un casamiento en un pueblito en Ecuador. La gente en ese lugar nunca había visto gringos anteriormente y yo invité a mi amigo John, quien no hablaba mucho español.

En la misa en la pequeña iglesia del pueblo, cuando el sacerdote estaba diciendo algo, mi amigo me decía "Renato, Renato" y yo le decía "cállate John, estás en la iglesia". Él continuaba, "Renato, Renato, mira lo que traje" y cuando volteé a verlo, ¡tenía una botella de ron en la iglesia y estaba tomando! Tuve que salirme de la iglesia y llevármelo conmigo. Después fuimos a la casa donde era la fiesta y empezamos a conversar con algunos hombres que estaban afuera. John les ofreció ron y ellos aceptaron. Estaban sirviendo comida adentro y yo no podía perderme la oportunidad de deleitarme con una buena cena y decidí entrar. Le pregunté a John si quería ir conmigo, pero decidió quedarse afuera tomando licor con los otros hombres.

Como una hora después, un niño entró corriendo y se dirigió hacia mí diciendo: "¿señor, señor, es usted amigo del gringo? ¡Se está peleando afuera!" Corrí para ver qué estaba sucediendo. Efectivamente, estaban peleando. Lo que pasó fue que los otros hombres creyeron que John, en su español quebrado, había dicho que odiaba las guerrillas y a los comunistas, y estos hombres eran miembros de algún movimiento guerrillero.

Hasta este momento, no sé qué les diría John, pero les aseguré a los hombres que John era un buen hombre y que nunca dijo eso. Me lo llevé adentro y lo senté próximo a la novia, él estaba muy emocionado diciendo "Renato, Renato, estoy sentado junto a la novia". Pero instantáneamente se quedó dormido y también así de repente se cayó al suelo de tierra, y se golpeó la cabeza. Alguien tenía una cámara de video y lo grabó todo; yo corrí a ayudarlo a que se levantara y la sangre le cubría la cara por completo. Yo comencé a disculparme con los novios y todos los demás presentes por el espectáculo que mi amigo había dado, pero casi al unísono me dijeron: "¡No se preocupe señor, en este pueblo nunca pasa nada y esto fue lo mejor que pudo pasar en esta boda, parece que los novios van a ser muy felices! ¡Especialmente, nunca habíamos visto en alguna boda a ningún gringo besando el suelo! Fue un momento un poco embarazoso, pero a pesar de todo, muy alegre.

Una mañana en el Amazonas, en Ecuador, después de dos meses y medio en la jungla, vimos a un grupo de gente que se dirigía hacia nosotros (recuerden que estábamos solos en el medio de la jungla y no había ningún otro ser humano alrededor), y mientras los observábamos con los binoculares, mi compañero dijo: "¡Maldición, estamos muertos, son los corta cabezas!" Me empezó a decir que si no salíamos vivos de esta, que había sido un placer trabajar conmigo. Esto en verdad me asustó mucho porque Pedro nunca hablaba de esa manera y ahora sí estaba muy serio y dijo algo amigable, algo que él nunca decía. Cada uno teníamos una escopeta, pero solo tenían una bala cada una. Teníamos un machete cada uno, pero el grupo era de más o menos 20 personas. En lo que se acercaban a nosotros, un viejo gordo nos enseñó su mano, la cual tenía una cortada que estaba muy infectada y se veía verde. Como no hablaban ningún lenguaje que conociéramos, mi colega le dijo en español: "Nosotros se la podemos curar". No creo que le hayan entendido pero les habló con señas. Muy quedito le dije: "Pedro, ¿qué chingados está haciendo? ¡No somos doctores, este hombre va a perder la mano y nos van a matar!" Él me contestó, "Si no tratamos de curarlo nos van a cortar las cabezas de todas maneras y las van a hacer muy pequeñitas como la que tenemos en el museo". Yo le dije "¡muy bien, hagámoslo entonces!". Teníamos bisturís para disecar las aves y alcohol puro para preservar los estómagos de las aves, entonces le abrimos la herida y se la limpiamos con un par de pinzas y luego le echamos alcohol puro en la herida abierta, le cocimos la mano con aguja e hilo de nailon, el mismo que usábamos para las aves. El indio nunca movió ningún músculo de la cara, se estuvo quieto como que si nada estuviera pasando, aunque yo estoy seguro que le dolía como infierno. Todos se fueron y nosotros estábamos asustadísimos de que el indio se fuera a morir y los otros volvieran y nos mataran. Nosotros sabíamos que el helicóptero tenía que recogernos en más o menos una semana y el indio posiblemente perdería la mano cuando nosotros ya nos hubiéramos marchado del lugar. ¿Pero adivinen qué? ¡El maldito helicóptero no llegó el día que tenía que recogernos! ¡Precisamente el próximo día de nuestro fallido rescate del helicóptero vimos que el grupo de indios amazónicos cazadores de cabezas regresaban a nuestro campamento!

Esta vez los dos dijimos al mismo tiempo: "¡Estamos muertos!", porque no veíamos al jefe de la tribu, el viejo gordo de la mano verde. En verdad que estábamos muy asustados cuando más se acercaban y no teníamos otra alternativa que esperar, porque no podíamos correr para la selva porque ellos eran los dueños y la conocían mejor que nosotros, no podíamos dispararles porque nuestras escopetas solo eran de un tiro y no podíamos usar los machetes porque el grupo de ellos era muy grande y además tenían cerbatanas y casi estábamos seguros de que disparaban con dardos envenenados, así es que era mejor esperar; además, nosotros estábamos como clavados en la tierra, las piernas y la mente en ese instante no respondían. En ese momento pasaron por mi mente muchas etapas de mi vida a una velocidad increíble, creo que viví toda mi vida en menos de 10 minutos. Toda mi familia desde que era muy chico desfilaban con risas y llantos enfrente de mí, no sabía si estaba alucinando o era verdad que los veía, lo que más sentía es que no vería crecer a mis hijos y nunca a los hijos de ellos, no lloré, creo que el miedo no me dejó, no intenté correr porque no pude hacer funcionar mi cuerpo y mente, ni siquiera vi las reacciones de mi colega porque por mi mente estaba pasando la película de mi vida, no tuve tiempo de arrepentirme por haberme aventurado a ir a trabajar a la selva amazónica, era como un sopor, como si hubiera estado en trance, veía al grupo de indios acercarse y escuchaba ciertos ruidos de la selva que eran mezclados con ruidos de los indios, no estoy seguro si ellos corrían o caminaban hacia nosotros, solo recuerdo que hablaban, cantaban o gritaban.

Veía que los inmensos árboles de la jungla daban vueltas a mi alrededor y el río iba junto con los indios y se dirigía a donde nosotros estábamos, sentía como si todo diera vueltas, todo era irreal, nunca había experimentado esa sensación y creo que fue el pánico al ver que estaba a punto de ser decapitado y de no volver a ver a mi familia. Fue un momento horrendo.

Cuando volví a la realidad, el grupo estaba muy cerca de nosotros, se empezaron a separar y ¡el jefe gordo estaba ahí con sus dos manos! ¡Su mano infectada estaba mucho mejor y él se veía alegre! Nos habían traído fruta como regalo y también querían llevarnos con ellos. Le dije a mi compañero: "¡Nos dieron fruta para que tengamos buen sabor cuando nos coman!", y él me contestó "¡Cállese pendejo, no nos traiga mala suerte!". Yo sentía que mi cuerpo estaba dormido y ya no sabía ni lo que hacía o decía, estaba respondiendo como un robot.

Cuando llegamos a su aldea, ellos nos dieron una bebida muy rara que se miraba verde, era gelatinosa y un poquito difícil de tomar y ¡se sentía como si estuviéramos ingiriendo ostiones! ¡Una mierda asquerosa! El jefe se la bebió primero, después lo hicimos nosotros porque sabíamos que no teníamos otra alternativa, tenía un sabor muy feo, pero como en cinco minutos mis hombros se sentían muy pesados y yo estaba alegre. En la aldea olía como si estaban cocinando carne y después de algún rato nos ofrecieron algo de comer; con señas, por supuesto, yo les dije que no tenía hambre (porque seguía creyendo que me querían envenenar). Pero mi compañero dijo que sí. Solo por molestarlo y divertirme un rato, le dije: "¡Probablemente lo van a alimentar con un pedazo de carne humana porque estos indios cabrones son caníbales!".¡Le trajeron a mi colega unas hojas y dos manitas en ellas!, yo le dije: "¡Dios mío mi amigo, son manos de niño!", y luego de que él las vio, se asustó pero el jefe lo alentaba para que se las comiera. Mi amigo empezó con desgano solamente a lamer los dedos; yo empecé a mirar alrededor y vi que las manos las habían cortado de un mono que tenían asado colgando de un árbol, pero no le quise decir nada a mi colega y seguí torturándolo con que se estaba comiendo un niño, esto era en pago a muchas veces que él me había hecho bromas pesadas y las había gozado y reído mucho de eso, y si estos indios me iban a cortar la cabeza, pues me divertiría un rato a costillas de Pedro. Yo me sentía alegre con lo que estaba bebiendo y le pedí al jefe que me diera otra tanda de "ron" y me llevó al "bar" en donde estaban cuatro viejecitas casi sin dientes y parecía que tuvieran doscientos años cada una. "¡Ellas masticaban alguna clase de raíz y luego la escupían en una clase de vasija de madera de donde el jefe echó mano a más "cubas libres" y me las ofreció!". Yo no podía decir que no y pensé, "¡Esto es lo más cerca que puedo estar del alcohol, qué fregados, trago es trago! Al mismo tiempo le dije a mi colega que estos indios cazadores de cabezas nos estaban emborrachando y que después nos iban a cocinar. Para nuestro alivio, no lo hicieron y en vez de eso nos empezaron a hacer tatuajes con algunas frutas y nos dejaron ir. En verdad no recuerdo cómo llegamos al campamento por la gran borrachera que me pegué ¡con escupidas de viejita!, solo recuerdo que amanecí vivo en mi campamento y con el cuerpo tatuado, lo mismo que mi compañero.

En 1992 cambiamos el proyecto, dejamos de trabajar en Ecuador y nos fuimos a Costa Rica, en donde le ayudé a Pedro con su doctorado. Fue un trabajo muy duro, probablemente nadie lo repetirá porque no están locos como nosotros para tentar la muerte tan cerca, escalábamos cataratas y precipicios solo por conseguir información sobre una especie de ave. Cuando trabajamos en Ecuador, tuvimos muchas aventuras locas y peligrosas, lo mismo que en Costa Rica. Por ejemplo, un día Pedro y yo empezamos a escalar un pico muy empinado en un cañón en donde había una catarata. Empezó a llover muy fuerte y parte de la ladera de la montaña donde íbamos escalando se empezó a caer al cañón. Mi colega saltó cruzando un pequeño precipicio para asegurarse de algunas rocas y me pidió que saltara donde él estaba, pero yo seguía muy asustado porque pensé que no podía hacerlo hasta el otro lado y me iba a caer al precipicio.

Sin embargo, la montaña completa estaba colapsando y entonces Pedro me gritó "¡Salte o se muere con la montaña!", y me prometió que me iba a sujetar cuando saltara. Finalmente, después de ver que no quedaba mucho de la montaña en donde yo pudiera estar, salté al otro lado donde estaba Pedro. Mi colega se había amarrado con un lazo a algún lugar en las rocas, yo apenas logré alcanzar el otro lado y Pedro me agarró de la camisa y me subió a donde él estaba. ¡Esta vez la vi cerca! Había otros peligros también: una vez yo estaba en un lugar muy remoto en las junglas de Costa Rica, era un poco tarde y estaba muy cansado. De repente escuché un sonido peculiar en algunos arbustos cercanos y pensé que era algún ave grande, decidí caminar muy despacio hacia ellos e investigar, y con mi escopeta empecé a mover las ramas muy cuidadosamente; enseguida, vi este gigantesco animal negro y lo que primero se me vino a la mente fue "¡mierda, este es un oso grizzly!" (Yo sabía que no había grizzlys en Costa Rica pero recuerden, no había nada en ese lugar ni casas ni gente). Me asusté tanto que ni siquiera tuve tiempo de ver bien al monstruo porque se movía muy rápido, entonces comencé a correr y como estaba tan asustado pensé que me iba siguiendo. Volteé para ver qué tan cerca lo llevaba de mí ¡Pero la cabrona vaca se asustó tanto como yo y corría despavorida en la dirección contraria!

A finales de los 80 fui a recoger una colección de huevos a Luisiana en la universidad donde estudiaba Pedro. Después de varias horas de empacar huevos, mi jefe me invitó a cenar y a tomar un par de cervezas. Cuando regresamos a la universidad, el auto de Pedro estaba estacionado afuera de la puerta de la oficina donde estábamos empacando los huevos. Frank, mi jefe, me dijo: "¿Tú siempre le has tenido miedo a Pedro, verdad?" Yo le contesté "¡yo nunca le he tenido miedo a ese cabrón!", Frank me dijo, "demuéstrame que no le tienes miedo y orínate en el parabrisas de su auto". Mientras yo me orinaba en el parabrisas, Pedro se apareció y me gritó, "¡lo voy a balear pendejo!" Yo sabía que Pedro estaba loco y sí era capaz de balearme, cuando entró a sacar la pistola me metí en un gran contenedor de basura. Cuando salió, empezó a balear el contenedor, tuve que salir del mismo porque sabía que Pedro me iba a encerrar con candado. Ese día yo estaba usando pantalones cortos y cuando salí del basurero ¡Pedro me comenzó a balear en las piernas con una pistola calibre 22! Cuando le dije que parara porque estaba sangrando, me preguntó "¿le duele?" le contesté que sí, entonces me dijo, "¡qué bueno, pendejo, se lo merece!" Por supuesto que me enojé, pero al mismo tiempo comprendí que no hubiera orinado el auto de Pedro sabiendo que él estaba medio loco, pero siempre me hacía cualquier travesura y pensé que era hora de desquitarme de alguna de ellas. Esta era una cadena de eventos de no parar porque yo no me iba a quedar con los balazos sin vengarme. Ese mismo día, en la mañana, había encontrado unos huevos de pavo que estaban podridos y no los llevaría a mi museo, pero no sé por qué razón decidí guardarlos. Cuando Pedro se fue de regreso a la oficina a guardar la pistola, tuve la oportunidad de abrir su auto y quebrar los huevos podridos adentro. Pedro los encontró en su auto e inmediatamente corrió hacia mí con su machete, pero Frank (quien solo nos estaba viendo y riéndose todo este tiempo) paró a Pedro y le dijo que lo despediría de su empleo si me cortaba con el machete y que paráramos estas locuras. La mañana siguiente, antes de regresarme a California, pasé a visitar y despedirme de Pedro en su apartamento y mientras él se estaba bañando, puse casi la mitad de una botella de ron en el cartón de jugo de naranja que tenía en el refrigerador, solo por fregarle la vida, y luego me marché. Sin embargo, no me recordé que Pedro tenía un compañero de cuarto, quien nunca había probado alcohol en su vida. Después, Pedro me contó que su compañero se presentó borracho a su clase en la universidad y nadie sabía qué le pasaba porque les contó a todos que ¡solamente había ingerido dos vasos grandes de jugo de naranja esa mañana! ¡Estos fueron tiempos muy locos con gente muy loca, y yo no estaba tan cuerdo que digamos!

Desafortunadamente, mi relación con Pedro terminó cuando finalizó su doctorado, él cambió mucho y ya no me veía como colega. Yo visité nuestro lugar de estudio en Costa Rica en 2010 con mi colega Linnea Hall y me sorprendió mucho descubrir que las aves que estudiamos en los 90 seguían anidando en los mismos sitios. Fue maravilloso tener la oportunidad de regresar y disfrutar el lugar sin tener que arriesgar mi vida para completar el trabajo de campo. Aunque mi amistad con Pedro se tornó agria, lo mismo que mi relación con Frank, mi relación con Ed Harrison se volvió muy especial. Siempre pensaba que era "mi padre norteamericano", porque era muy cariñoso y en verdad se veía que genuinamente me trataba y quería como un hijo.

En 1993, el museo se movió para el condado de Ventura, en la ciudad de Camarillo. Nuestros amigos estaban en Los Ángeles y yo decidí manejar todos los días por seis meses de Los Ángeles a Camarillo y viceversa, era un total de un poco más de 200 kilómetros, tres horas de viaje diarios hasta que mi pequeño auto se incendió en la autopista (tuve suerte porque no había mucho tráfico y pude apagar las llamas con un extinguidor de fuego que cargaba conmigo).

Mientras Ed Harrison envejecía, su cuerpo también empezó a desintegrarse un poco; por ejemplo, su rodilla ya no funcionó y tuvieron que ponerle un aparato de metal para que la pierna le funcionara. A él le gustaba enseñarme su "nueva" pierna cada vez que visitaba el museo en Camarillo y hacía mucho ruido cuando se lo quitaba y ponía de regreso. Cuando comenzó a usar bastón, siempre me golpeaba con él para que yo le pusiera atención. Empezó a contarme las mismas historias una y otra vez, olvidando que ya me las había contado. Me decía, "¿Ya te conté esta historia antes?, y cuando yo le decía que sí, me decía, "No me importa, yo soy el patrón, y te la voy a contar de nuevo".

Arriba izquierda: California, buscando nidos • Arriba derecha y en caballo: en las junglas de Suramérica, 1989.

Preparando pieles de aves en Ecuador. Yo soy el del centro. 1990.

En Costa Rica, 1995. izquierda escalando con lazo para colectar un nido. Derecha, escalando una catarata.

Arriba izquierda en Ecuador • Derecha, saliendo de una cueva en las cataratas en Costa Rica • Con mi amigo Ed Harrison a finales de los 80 en el museo.

En Costa Rica, 1995. Tomando un pequeño descanso en el rio
• Mis tiempos de futbol. 1987.

Aquí estoy finalmente reunido con mi amigo y mentor Rolando
Sanchinelli, después de 35 años. Guatemala, 2009.

Capítulo 12

LA MUERTE DE MIS PADRES

En 1996, mi madre y mi padre murieron, con una semana de diferencia uno del otro, mi hermano mayor también murió solo siete meses después. Ed pagó uno de mis viajes a Guatemala y lo que tuve que hacer fue disecar todos los patos que llenaban completamente dos congeladores grandes. Yo creo que él tuvo la mejor parte de este trato, pero todo el tiempo estuve muy agradecido por su generosidad al ayudarme en estos momentos tan difíciles de mi vida. Este fue un tiempo muy caótico en mi vida y en verdad fue una pesadilla para mi familia y para mí.

Empecé a tomar mucho alcohol por el gran dolor de haber perdido a estos miembros de mi familia y porque me sentía muy solo. Yo era un desastre, creo que quería matarme con alcohol porque la muerte de mis padres "fue la paja que quebró el lomo del camello". Finalmente perdí a mucha gente querida en mi vida. Este período oscuro tardó algunos años. Nunca perdí un día de trabajo, pero en las noches y fines de semana bebía alcohol. Casi todos los fines de semana estaban llenos de alcohol y peleas en el campo de futbol o en los billares. En una ocasión tomando y jugando billar con mi amigo Luis Ortega en Hollywood, nos enfrascamos en una bronca en contra de otro grupo de borrachos y por cierto estábamos perdiendo la pelea cuando alguien llamó a la policía y nos tocó correr por todo el bulevar de Hollywood pero no lograron apresarnos. En otra ocasión bebí con mi amigo Andrés Ríos hasta las 2 de la madrugada en el centro de Los Ángeles. Después, como no manejábamos, caminamos cantando y riéndonos todo el camino hasta llegar a Hollywood como a las 6 de la mañana, justo a tiempo para ir al campo y jugar futbol en donde yo era el portero. Ese día, el árbitro tomó una decisión equivocada que nos perjudicó y me costó un gol, me enojé tanto que quería golpearlo. El árbitro comenzó a correr en el campo y yo corrí detrás de él tratando de alcanzarlo y darle una paliza. Afortunadamente, mi compadre Edgar y otros compañeros del equipo me agarraron, de otra manera creo que hubiera terminado en la cárcel por golpear al árbitro. Sorprendentemente, mi familia, especialmente Mary, me apoyaron todo este tiempo, nunca se dieron por vencidos y no perdieron la esperanza de que el padre y esposo amoroso que conocían regresaría del infierno en el que estaba viviendo.

Sinceramente estoy infinitamente agradecido por su apoyo y ayuda. Paré de beber alcohol en 1999 y desde entonces no he probado ni una gota de esa embriagante bebida. Principié el nuevo milenio con una vida diferente. Comencé como nuevo, con nuevas ilusiones para el futuro.

Actualmente me reúno con muchos de mis amigos, los cuales se emborrachaban conmigo, nos congregamos en la casa de Guillermo para celebrar alguna fiesta, pero sin alcohol, y nos divertimos mucho recordando viejas parrandas y broncas. Solamente un par de ellos todavía toma alcohol.

Tristemente mi compadre y amigo de muchas aventuras, Edgar, murió en mayo de 2010 por enfermedades relacionadas con alcoholismo. Regularmente nos metíamos en problemas con mi compadre por culpa del alcohol. Especialmente recuerdo una ocasión en que fuimos a comprar cerveza. Yo manejaba el auto de mi compadre y él me pidió que parara en un cajero automático para retirar dinero, pero esta era la primera vez que usaba una de estas máquinas. Ahí estaban dos gringos jóvenes esperando pacientemente a que mi compadre terminara su transacción, pero le estaba tomando mucho tiempo y los gringos le empezaron a gritar y preguntarle que si sabía usar la máquina.

Yo esperaba con el auto encendido y les contesté a los gringos que disculparan porque era la primera vez que mi compadre usaba un cajero automático. Sin embargo, mi compadre se enojó, y fue al auto a sacar la llave de chuchos para pelear con ellos. Yo le dije que los dejara en paz, que no valía la pena pelear por algo tan insignificante y que mejor nos fuéramos, pero insistió y regresó a donde estaban ellos, unos segundos después iba corriendo hacia el auto y los gringos lo iban siguiendo, incluso dejó tirada la llave de chuchos y me dijo: "¡Vámonos compadre, no quiero lastimar a estos!". Los gringos casi lo alcanzan y uno llevaba un cuchillo muy grande, ¡en verdad no era Edgar el que los iba a lastimar! Afortunadamente esta vez no intenté defender a mi compadre, tuve suerte porque yo no había empezado a tomar ese día. Tiempos locos de alcohol, qué suerte que todavía estoy contando todo esto.

En 2002 perdí a otra persona muy querida y muy allegada a mí, "mi padre gringo" Ed Harrison murió después de más de un año de estar enfermo y fue otro dolor muy duro en mi vida, porque yo lo quería como si fuera mi propio padre. Sin embargo, esta vez no caí en el agujero oscuro. Yo había controlado mi problema de bebida para esta fecha, estaba aprendiendo cómo ajustarme a las pérdidas y me sentía más fuerte y con muchas ganas de vivir.

Capítulo 13

TIEMPOS MODERNOS

En el museo, mi trabajo ya no era tan agradable como cuando Ed estaba sano y lo visitaba continuamente, porque las personas que se habían autonombrado jefes, primero no sabían nada de aves y solo estaban ahí por el dinero y, por lo mismo, mi estadía ahí ya era muy difícil de soportar, ya no había alegría. Yo todavía seguía en el museo porque quería mucho a Ed, pero después de que él murió pensé que nada tenía que hacer ahí y decidí que era tiempo de buscar otro empleo. Un domingo, mientras leía el periódico, vi un artículo sobre Estudios en Desórdenes de Adicciones que se impartía en una universidad local. Vi la luz al final del túnel, quería aprender más sobre adicciones, por mi propia experiencia y por el hecho de que mi hermano mayor, Carlos, murió de alcoholismo y luego mi hermana menor, Yolanda, también murió en enero de 2010 de la misma enfermedad. Esa fue otra experiencia muy dolorosa en mi vida, mi hermana sufrió mucho porque los órganos vitales de su cuerpo se fueron apagando uno a uno hasta el punto de depender solamente de una máquina para poder mantenerse viva pero como un vegetal, inconsciente. Los doctores después de regresarla de varios paros cardiacos nos dijeron a mi hermana María y a mí que Yolanda ya no tenía ninguna posibilidad de recuperase y que era necesario tomar una decisión para que mi hermana no siguiera sufriendo. Fue necesario dar la autorización de no tratar de regresarla del próximo paro cardiaco. Por todas estas tristes experiencias, quería ayudar a la comunidad a evitar o arrancar lo más que pudiera, a sus seres queridos, de las garras de esta terrible enfermedad.

Yo estaba a dos años de graduarme de la Universidad y ya tenía una oferta para trabajar con el gobierno local cuando Linnea comenzó a laborar en el museo. Al principio, ella estaba un poco confundida porque yo quería cambiar a otra profesión, pero respetó mi decisión. Ella me dijo que si en verdad me interesaba y gustaba el otro empleo, que lo tomara, pero me aseguraba que haría todo lo que estuviera en sus manos para hacer que mi posición y paga en la *Western Foundation* fuera justa y se respetaran mis conocimientos. En verdad, no le creía al principio, pero se veía que era una muy buena persona y muy profesional, así que decidí quedarme en el museo. ¡Gracias a Dios me quedé! ¡Es una de las mejores decisiones que he tomado en mi vida, esta vez sí acerté! Ella fue y continúa siendo justa, no solamente conmigo sino también con el resto de los empleados. Es un placer trabajar con Linnea, la suerte para mí fue que ella empezó a trabajar un mes antes de que Ed falleciera, perdí a mi "padre gringo", pero gané a la "hermana gringa". La alegría de trabajar en el museo regresó.

En el año 2000 empecé un proyecto de investigación sobre reproducción de aves en Guatemala. Yo sabía que trabajar ahí no sería tan arriesgado como lo fue en Ecuador y Costa Rica; además, Pedro ya hacía rato se había desaparecido y ya no habría tanta locura, además tendría la oportunidad de trabajar en conjunto con dos universidades locales.

Sabía que podría hacer mi trabajo sin preocuparme de él. Aunque era más tranquilo en Guatemala, también tuve algunas aventuras en este país. Por ejemplo, un día en 2005, manejando en una finca en Zacapa, en la parte central del país, al final de una carretera de tierra, cuando doblé la esquina vi que esta terminaba y tres hombres con armas de fuego me estaban esperando. Les dije a mis dos ayudantes que me esperaran en el auto mientras yo iba a hablar con los hombres; mis ayudantes me rogaron que no saliera del auto y que en vez de eso, diera la vuelta y nos fuéramos, pero no había lugar en donde darla, entonces decidí probar mi suerte con los hombres armados. Salí del auto con los brazos alzados y les expliqué sobre el proyecto de aves en el que estaba trabajando.

Resultaron muy buenas personas y nos dejaron trabajar en su propiedad. Pasamos un buen susto, pero tuvo un final feliz. En otra ocasión, estaba en el campo con mi ayudante Milton, en La Avellana, en la costa del Pacífico. Entre los matorrales encontré una cabeza de un hombre recién cortada y atada a un tronco con alambre de púas. Mi primera reacción fue decirle a Milton que teníamos que buscar el cuerpo, pero él casi se muere de pánico, temblaba sin cesar y se quedó completamente mudo. Yo estuve tentado a llevarme la cabeza para el museo, pero después pensé que no era buena idea, ¡especialmente porque se veía que había sido un homicidio!

¡Parecía que también aquí habría aventura!

En otra ocasión, iba manejando cruzando un río, nuevamente en la parte central del país, pero no me di cuenta de que en el otro lado había un zanjón y mi picop cayó en él, se volcó parcialmente; dos llantas quedaron en el aire, pero nadie salió lesionado.

En 2003 me ocurrió un acontecimiento que casi me cuesta la vida. Estuve realizando mi investigación en el norte de Guatemala, en el departamento de Petén, justo fuera de los límites del parque nacional Tikal. Con la experiencia que tenía trabajando en el Amazonas, yo me sentía confiado en la selva petenera, pero por alguna razón que desconozco hasta el momento, me separé del campamento y me perdí por casi todo un día, lo peor de todo es que no llevaba agua conmigo porque no planeaba adentrarme en la selva. Cuando logré encontrar de nuevo mi campamento, iba muy deshidratado. Regresé a la capital enfermo, pero no visité ningún doctor. Mi amiga, la doctora Hall, llegaba a Guatemala en un par de días para impartir una conferencia en el museo de Ciencias Naturales de la Universidad de San Carlos y yo tenía que traducirle. No le comenté que estaba muy enfermo porque no quería arruinar la conferencia, por el hecho de que era su primera visita a Guatemala. Empecé a traducir normalmente, pero conforme pasaba el tiempo, mi traducción se hacía menos clara y yo veía que todas las personas del público se hacían grandes y a la vez muy pequeñas, estaba teniendo alucinaciones, mi compañera se dio cuenta y dio por terminada la conferencia y precisamente en ese momento desfallecí. Mi amiga Linnea, junto a la directora del museo, me transportaron inmediatamente con un doctor, primo de ella, el cual me atendió inmediatamente inyectándome algo para poder bajar la temperatura; posteriormente me dijo que si me hubieran llevado 15 minutos más tarde me hubiera muerto o causado daños irreversibles a mi cerebro.

A pesar de los contratiempos, este proyecto ha hecho contribuciones significativas a la ciencia sobre reproducción y ecología de aves, yo creo que los riesgos en este proyecto han valido la pena. También me ha dado la oportunidad de visitar a mi familia en Guatemala dos veces por año y creo que he echado raíces en ambos países, el de nacimiento y el adoptivo, porque ahora tengo dos nacionalidades, guatemalteca y estadounidense. El niño lustrador que vino de una aldea y que no era aceptado por otros niños, incluso en la capital de Guatemala, ahora en California tiene la oportunidad de conducir proyectos de aves en las islas; claro, el único peligro es caer al precipicio y terminar en el océano, pero no hay indios cazadores de cabezas o cataratas que escalar, solo montañas. He tenido la oportunidad de conducir un proyecto de monitoreo de aves a largo plazo en El Chical, la aldea donde nací. Siento que regresé a mi hogar.

Cuando pensé que finalmente este libro estaba terminado, sucedió algo muy bonito y que lleno de alegría, decidí compartirlo con mis lectores. Me propuse tomar unas vacaciones y viajé a Guatemala con mi esposa, con la idea de relajarme un poco y al regresar, darle los últimos toques al libro y publicarlo. Visitando mi viejo barrio y la casa donde crecí, que todavía la conservo, encontré a mi amigo y vecino Freddy Pérez. Después de los saludos y bromear un poco me comentó que él estaba orgulloso de tener un amigo que hubiera logrado sobresalir en Estados Unidos y que el trabajo que yo hago le parece muy interesante porque él tuvo la oportunidad de acompañarme a unos de mis viajes de investigación en Guatemala.

También me comentó que trabaja en un periódico local y que le había explicado a su jefe sobre mi vida, y que les gustaría que me hicieran una entrevista sobre mi vida y proyectos de investigación. Le contesté que con mucho gusto lo acompañaría al periódico y le agradecí por su interés en mi persona. Por supuesto, pienso que va a ser lo normal, una entrevista de aproximadamente una hora con un señor o señora serios que nunca sonríen, y aunque hayas tenido varias entrevistas en varios medios, siempre te intimidás porque pensás que te están interrogando.

A pesar de todo esto, pienso que si tengo suerte, sería una oportunidad para dar a conocer el proyecto de conservación de aves que realizo en Guatemala. Confieso que iba un poco nervioso a mi primera entrevista en un diario guatemalteco, ya había tenido tres entrevistas en la radio, pensé que en la radio era más fácil, porque como dice mi amiga Linnea, si a mí me dan un escenario para hablar, es un poco difícil que me puedan parar, pero me parecía que en el periódico sería un poco más complicado, porque serían muchas preguntas. ¡Qué tan equivocado estaba!, en el momento que mi amigo Freddy me presentó a los miembros del equipo de periodistas de Nuestro Diario, sentí que estaba en casa y que me encontraba en un campo seguro con amigos. No solamente fueron muy amigables sino que se interesaron mucho sobre mi vida, lo mismo que en el proyecto de conservación de aves. No fue una hora de entrevista con un señor o señora serios, fueron ocho horas divididas en dos días con un grupo de jóvenes amigables y muy profesionales. Hablamos sobre muchos temas, bromeamos, tomamos café, en verdad no fue una entrevista, fue una conversación entre amigos que tenían los mismos intereses.

Decidieron hacer una serie de reportajes sobre mi vida, conservación de aves y problemas de contaminación del río

Motagua, incluso se comprometieron a acompañarme al río y documentar los problemas de basura y contaminación, lo mismo que el trabajo que realizamos con las aves. Al final, me proporcionaron un recorrido por todo el periódico y me presentaron al personal de cada departamento, me sentí en el paraíso, nunca en mi vida pensé que iba a tener la oportunidad de desarrollarme en un ambiente como este, en mi juventud tuve la ilusión de ser periodista y siempre he admirado esta profesión, y hoy me trataron como uno de ellos y yo sentí que lo era (antes de imprimir este libro ya se han publicado dos reportajes sobre aves y el problema en el río Motagua).

Este fue uno de los mejores días de mi vida. Cuando pensé que había realizado casi todos mis sueños, tuve la oportunidad de realizar uno más. En Nuestro Diario también tuve la ocasión de encontrar trabajando a mi amigo Gustavo Jiménez "El Gato" a quien no veía desde hacía más de treinta años, cuando trabajamos en el Nuevo Diario.

Al final de mi recorrido, varios decidieron cooperar con mi libro en varias maneras (por favor leer la sección de agradecimientos). Este fue un día maravilloso, regresé a casa muy satisfecho, en el camino decidí recorrer varias calles donde lustré de niño, pasé por el parque Morazán, por las casas de la zona 2 donde me regalaban lo que les había sobrado de comida, las casas me parecen muy viejas y no tan elegantes como las veía de niño. Llegué al mercado de La Parroquia en donde comí de los basureros y tenía que competir con los perros. También en esa calle están los bares de mala muerte, frecuentados por maleantes y donde fui alimentado por las prostitutas que necesitaban ser madres y me protegían como el hijo que no tenían o lo habían regalado. El basurero ya no está, al igual que los bares, y me imagino que las prostitutas ya no viven. Llegué al parque de La Parroquia y ví a don Miguel, ya con su cabeza completamente blanca y su cuerpo encorvado todavía lustrando zapatos, el viejo que ya era viejo cuando yo era un niño lustrador. Por un momento se me escaparon un par de lágrimas por las emociones encontradas, no sé si son de alegría porque la vida me dio otro día de felicidad o de tristeza al ver al viejo don Miguel, quien no tuvo la oportunidad que yo tuve. Regresé a mi auto y me encaminé de nuevo a mi barrio sintiendo una alegría inmensa de estar vivo y poder disfrutar este momento. Llegué a casa y compartí este grandioso día con mi esposa quien se alegró mucho, luego llamé a mi amiga Linnea en Estados Unidos para compartir mi alegría, ella se puso muy feliz y me dijo "al fin te escucho muy feliz, me alegro mucho, amigo, porque al fin te diste cuenta de quién eres y lo que has alcanzado en la vida, debes escribir este momento para que se quede grabado en tinta lo mismo que en tu memoria".

Al finalizar este libro, he realizado casi todos mis sueños. Tengo una casa bonita con más de un auto en el garaje; he visitado los países con los cuales soñé de niño incluyendo España, Inglaterra, Irlanda, Canadá, México, Ecuador, El Salvador, Costa Rica y más de la mitad de estados de Estados Unidos. Lejos están los días cuando buscaba comida en la basura y tenía que competir con los perros por un pedazo de fruta. He tenido la oportunidad de regresar a El Chical para conducir investigaciones y tratar de ayudar a la gente y aves de la aldea donde nací.

Mi niñita Claudia se graduó de la universidad y tiene sus propios hijos: Aylin (11), Celeste (7) y Jordan (4). Mi hija Adelina también se graduó de la universidad y tiene un hijo, Roberto (11). Lo mismo que René Jr., se graduó de la universidad y tiene una niña de 9 meses, Aria; por último está Eddie, quien todavía no se ha graduado pero le falta poco y tiene dos niñas, Alicia de dos años y Andrea de dos meses. Eddie trabaja conmigo en el museo disecando aves desde que tenía 11 años y es muy buen taxidermista. René Jr. también diseca aves pero es solo voluntario en el museo. Mi hermana María vive con su familia en Estados Unidos. Yo le tramité la residencia a mi hermano Miguel junto con su familia y ahora viven acá, en Estados Unidos.

Parece que el viejo dicho de "Quien ríe de último, ríe mejor" fue verdad para mí, porque después de varias batallas perdidas y muchas cosas tristes en mi vida al principio, ahora he tenido lindas oportunidades y he alcanzado muchos éxitos. Me he reunido con viejos amigos. Aparte de disfrutar a mi familia, he tenido la oportunidad de estar en la radio, televisión y los periódicos, incluso fui autor de un libro junto con mi amiga Linnea. Publiqué mi propio libro en inglés, edité un libro de nidos que originalmente se publicó en japonés y ahora estoy publicando mi primer libro en español. Soy respetado por mis colegas biólogos y catedráticos, gringos y latinos, lo mismo que por mi comunidad y amigos. Como dice otro dicho: "Nadie es profeta en su propia tierra", pero de todas formas trataré. Sigo con la misma jovencita que me casé cuando ella tenía 16 y yo 19. Ya no tengo que trabajar en dos o tres empleos para poder llevar el alimento a la mesa de mi familia. Ahora manejo el museo de la *Western Foundation* junto a mi amiga la doctora Hall y la promesa que ella me hizo de un trato justo se hizo realidad y todo en el museo viaja viento en popa.

El exlustrador que pensó que no era material de universidad, con la ayuda de su familia y el apoyo de una buena jefa y amiga con principios profesionales y personales, con su determinación de luchar duro hasta el final, se graduó con dos títulos en 2008.

Fui el primero de la familia que fue a la universidad. Mi hermano Alfredo y mamá Fina no estuvieron aquí para ver mi graduación, pero siempre supieron que lo podía hacer y lo hice.

Ahora, puedo decir por primera vez en la vida que "¡LA VIDA PUEDE SER FANTÁSTICA!". ¡Es tiempo de dejar la vieja vida con sus tristezas y sinsabores, hay que vivir la vida presente y futura plenamente! ¡El patojo lustrador soñó grande, persistió y finalmente lo logró!

Un pequeño accidente. Guatemala, 2004 • Con una Urraca, Guatemala • Abajo: España, Andalucía, Huelva. 2005.

Subiendo a inspeccionar un nido de Tucán, Guatemala • En Irlanda
con el proyecto de introducción *White-tailed Sea Eagle*. 2008 • En el
museo *Western Foundation*. 2012.

Revisando un nido de chorcha. ¿Recuerdan cuando niño me gustaba
molestar los nidos? Ahora los investigo • ¿Recuerdan el perro casi
me atrapa por robar sandias cuando era niño? Mi tío Pancho me
regalo estas, no tuve que correr del perro esta vez. El Chical 2013.

Con mis nietos. Al frente: Jordan, Celeste, Roberto, Aylin con Alicia en sus brazos y Aria en mis brazos, 2013 • Con mis hijos, René Jr., Adelina, Claudia, y Eddie, atrás; California 2013 • En el museo WFVZ, enseñando cómo disecar aves, 2011 • Mi graduación. Finalmente, uno de mis más grandes sueños se hizo realidad. ¡Más vale tarde que nunca!

En la radio. Con Linnea (centro) y la periodista Rosa María del Cid, Guatemala, 2012 • Con mi amiga Linnea disfrutando en la exposición de mi amigo Sanchinelli, Guatemala, 2012. • "El que ríe de último ríe mejor". Muy feliz celebrando mis 50 años de vida y 25 en el museo, agosto, 2010.

Con Mary, California 2013.

En Nuestro Diario con Freddy Pérez, 2013 • En el museo *Western Foundation,* sosteniendo un huevo de pájaro elefante y otro de colibrí.

Izquierda huevo de avestruz, derecha huevo de pájaro elefante, 2014 • Abajo: Mis sueños, mis libros y algunos artículos de periódicos.

Capítulo 14

PALABRAS FINALES

Como pueden ver, la lucha fue intensa con muchos contratiempos y lágrimas, pero afortunadamente también hubo risas. En esta jornada para lograr una vida mejor encontré muchos obstáculos, pero los obstáculos que encontré en mi camino me hicieron más fuerte y me dieron más agilidad para poder esquivar muchos más que encontraría en esta larga jornada que es la vida. Para construir una vida que valga la pena ser vivida, se debe trabajar de manera constante, muy duro, y necesitarás paciencia y madera de luchador, pero lo podés hacer más fácil si tratás de disfrutarlo y verlo como una inversión. Te vas a dar cuenta de que con cada obstáculo que logrés superar, te vas a ir haciendo más fuerte y la experiencia que vas a ir acumulando va a ser uno de los músculos que necesitarás para la batalla de la vida.

Te mentiría si te dijera que será fácil, vas a ser desafiado, pero esos desafíos te van a alertar para el próximo acontecimiento, recordá que no todos se alegrarán de tus triunfos, porque ellos se van a sentir menos que tú, ya que no tuvieron las agallas que tú tuviste de darle la cara a la vida y decirle ¡aquí estoy, qué tengo qué hacer para lograr lo que quiero! Te pondrán rocas en tu camino, no te asustés, enojés o desesperés, usalas para escalar más alto. Te tirarán limones, hacelos limonada.

Recordá que también hay mucha gente que querrá tenderte la mano, no la despreciés, no te la tienden porque sos débil o te quieren humillar, te la tienden porque saben que sos luchador y reconocen que tenés madera de ganador, preguntá y verás que alguien te dará la respuesta que necesitás, yo la encontré. Solo encuentra el que busca. No veas hacia atrás para ver lo que perdiste, volteá solo para ver las huellas que vas dejando y verás lo que has avanzado. No llorés por lo que perdiste, posiblemente nunca fue tuyo o no valía la pena tenerlo porque te merecés algo mejor, alegrate por tener vida, la misma te dará muchos regalos, aprecia estos regalos que te da la vida y usalos inteligentemente.

Si creés en Dios, no esperés que te traiga lo que necesitás, preguntale dónde está lo que deseás y lo irás a recoger, recordate que sos producto del mismo Creador y te hizo para que funcionaras por ti mismo para no hacer solo Él todo el trabajo. Si no creés en Dios, respetá la creencia de otros, que ellos están luchando por su propia vida con diferentes armas, y Dios ha sido la esperanza que los ha acompañado.

Tenés que tener fe en ti mismo, porque sos una criatura del universo, caminás con la energía que vos mismo producís con tus sueños de seguir adelante, tenés derecho a soñar, soñá grande, pero tené cuidado con lo que soñás porque algún día se te puede hacer realidad. También tenés derecho a un pedacito de este planeta porque no sos menos que los insectos, las plantas o cualquier otro ser humano. Tendé la mano al que te pida una guía para caminar, enseñale cómo tú le has hecho para seguir adelante. Sé que es muy duro cambiar de rumbo en la vida y tratar de hacer cosas diferentes, pero si has hecho las mismas cosas por años y no te han funcionado, creo que vale la pena arriesgarse para encontrar la felicidad.

Yo he viajado muchos años y en los aviones he experimentado mucho miedo cuando hay tormentas o está listo para aterrizar o despegar, así es la vida, algunas veces creemos que es un caos completo, pero al final el avión aterriza bien, la tormenta ha pasado, llegamos sanos y salvos a nuestro destino. Claro que quedamos asustados, tomémonos un tiempecito para descansar y agarrar confianza mientras tomamos el próximo vuelo en la vida, pero no nos quedemos rezagados en ese aeropuerto de la vida por miedo a la turbulencia, porque van a ser otros los que tomen nuestro lugar en el avión de la vida y llegarán a su rumbo.

La vida es una lucha constante, pero vale la pena arriesgarse, te aseguro que de alguna manera vas a recibir alguna recompensa al final de la lucha. El ganador es el que se atreve a competir en la vida y no siempre el que llega en primer lugar. Con el solo hecho de atreverte a competir en la vida ya estás en la lista de ganadores; perdedor es quien nunca se atrevió a arriesgar por miedo a no ganar. Si no nos atrevemos a vivir la vida es que ya estamos muertos antes de empezar. Reíte de la vida, antes de que la vida se ría de ti. La risa te ayudará a limpiar tu espíritu y a llenarte de buena energía.

No es necesario usar sustancias como el alcohol para disfrutar la vida o apagar las penas, yo lo hice y estuve hundido en un agujero sombrío por mucho tiempo. Claro que muchos dirán que es fácil decir esto cuando estás arriba y ya no tenés que batallar, pero les aseguro que yo conocí el infierno y salí de él luchando con todas las fuerzas que me quedaban y continúo persistiendo para seguir siendo feliz. Si tratás de realizar un proyecto y no te salió como querías, no te desanimés, no fracasaste, ya ganaste, el fracasado es quien no intenta, volvé a tratar una y otra vez, pero hacelo con inteligencia y no tratés de la misma manera, porque creo que el que se tropieza con la misma piedra repetidamente no está completamente cuerdo.

Yo fui derrotado muchas veces, pero estas fueron lecciones en la universidad de la vida. No desaprovechés las derrotas, que de ellas podés aprender mucho. Si lográs llegar a la cúspide con mucho esfuerzo, no dejés de luchar porque por experiencia te digo, lo más difícil es mantenerse ahí. Compartí tus conocimientos, pero no pongás debajo de ti a los que no tuvieron la oportunidad de aprender lo que sabés.

También recordá que tenés el derecho de llorar, enojarte y reír, todo esto es parte del paquete que te da la vida. Si tenés la oportunidad de reír, hacelo, no importa el motivo, aprendé a reír, para cuando te toque llorar, algo que yo experimenté muchas veces, ya sabés que en el pasado aprendiste a reír y tenés la esperanza de repetir esos bonitos momentos de alegría y risas.

Recordá que el mundo te observa y siempre te hacen saber cuándo hacés algo fuera de lo común o simplemente estúpido. Te van a decir que estás loco por tratar de hacer algo que ellos nunca intentaron. No importa lo que hagás, siempre recordá que la lección que aprendiste es solo tuya. No importa lo que los otros piensen o crean, sos el que está aprendiendo y creciendo. No te tenés que sentir avergonzado o culpable por lo que otros te digan. En vez de enfocarte en lo que otros están pensando, investigá lo que aprendiste de esto y recordá qué tan mal se siente ser criticado la próxima vez que sintás las ganas de criticar a alguien más. Segui las direcciones de los que ya llegaron a su destino y conocen la ruta, no la desechés, ellos te dirán dónde están las curvas y las piedras en el camino. De los que se quedaron atrás y no lucharon y te dicen que fracasarás en tus empresas, escuchalos y pensá que pudiste ser uno de ellos, fracasado y amargado.

Querete, amate a ti mismo, está orgulloso de vos mismo y a veces no por haber llegado en primer lugar, pero simplemente por haber intentado, ya ganaste. Al estar orgulloso de vos mismo, lo reflejás en tus ojos, en tu postura y actitud. Estás orgulloso porque sabés que has luchado duro para forjarte una vida mejor. Cuando estás orgulloso de vos mismo, das energía y conocimiento. Pero cuidado, no te volvás arrogante y engreído con los demás y recordá tus raíces y tus derrotas del pasado. Cuando sos humilde, das y no quitás. Recordá que cada uno de nosotros tenemos diferentes filosofías y creencias religiosas y políticas, respetá la de los demás y no tratés de imponer las tuyas, cada uno de nosotros tiene su propia verdad.

No impongás ni pisés a otros por salir adelante, dales la mano si te la piden y están dispuestos a luchar con tu ayuda, pero no perdás el tiempo con alguien que no quiere luchar, siempre habrá alguien que está esperando tu mano para seguirte.

Mi mensaje final para todos es: ¡recuerden que el cielo es el límite, sí se puede lograr, mis amigos, todo principio cuesta, pero al final está la recompensa! ¡Bienvenido al club de los ganadores! Y espero leer tu historia de éxito.

Este libro se terminó de imprimir en
junio del año 2014 en
Centro Editorial VILE
Av. Simeón Cañas (6ta. Av.) 5-31, Zona 2
PBX: 2314-2222 - administracion@vile.com.gt